生成AI 真の勝者

Generative AI
The True Winners and Losers

5つの覇権争いの行方

島津翔
日経BPシリコンバレー支局 記者

日経BP

はじめに　サクラメントの探鉱者

テクノロジーの聖地・米シリコンバレーからサンフランシスコを経由して内陸に車で2時間ほど走ると、透き通る青空とうねる地形の間に何棟かの高層ビルが見えてくる。カリフォルニア州都であるサクラメントだ。

1848年、シエラネバダ山脈のふもとで金塊が見つかるやいなや、噂はあっと言う間に米国全土そして国外へと広がり、一獲千金のアメリカンドリームを狙う数多の人々がカリフォルニアに殺到した。ゴールドラッシュだ。

サンフランシスコ湾に入った夢追い人は、帆船でサクラメントリバーを遡ってアメリカンリバーとの合流地点であるこの地に船を着け、今度は帆船を解体して柱と梁《はり》を造作し、サクラメントリバーの岸に即席のバラックをこしらえた。瞬く間に街が出来上がった。これがサクラメントの始まりとされる。

旧市街の街並みは修復されて国定史跡となり、今は「オールド・サクラメント」と呼ばれる。木造の店舗をつなぐアーケードやセントラル・パシフィック鉄道駅などの歴史をしのばせるレトロな建築物、ゆらゆらと揺れるスズカケの葉、その影が岸に落ちるサクラメントリバーから、当時の雰囲気を想像できる。金鉱探しに必死な人々、険しい顔で先を急ごうとする者、鉄道敷設に挑むエンジニア、そして夢破れた者——。史跡内にある歴史博物館をのぞけば、その生き生きとした様がよみがえる。

ゴールドラッシュは金の採掘を中心として新たな経済圏をつくる壮大な実験でもあった。鉱山労働者の「作業着」に着目したリーバイ・ストラウスは帆船などで使われていた頑丈な生地で「デニム」を発明し、サミュエル・ブラナンは採掘用のショベルやツルハシなどを買い占めて卸売業を展開し、億万長者となった。リーランド・スタンフォードは卸売りで築いた資本でインフラ整備を進め、大陸横断鉄道を敷設した。採掘者たちが稼いだキャッシュを保管する需要に着目したヘンリー・ウェルズとウィリアム・ファーゴは資産管理ビジネスを始め、米国最大規模の銀行を築き上げた。

もうかったのは採鉱者だけではなく、その周辺の商機に目を付けた者たちだったわけだ。こうした「道具」に着目した商売は、ビジネススクールでは「マイニング・ザ・マイナーズ（採掘者を採掘する）」と名付けられ、ウォール街では「ピック&ショベル企業」と呼ばれ投資の対象になっている。

２０２３年に起こった空前の生成ＡＩ（人工知能）ブーム。ＣｈａｔＧＰＴが鳴らした号砲は、米グーグルや米マイクロソフトなど巨大テック企業が総参戦する大競争時代を告げた。「生成ＡＩゴールドラッシュ」とも呼ぶべきこの時代も、採掘者を採掘する動きが起こり、ピック＆ショベル企業が登場し、新たな経済圏が生まれるはずだ。その勝者は誰だろうか。日本企業の勝ち筋はどこにあるのか。

本書は、生成ＡＩによって勃興した覇権争いを５つの領域に分け、シリコンバレーで取材したファクトをベースにその勢力図と知られざる勝者を描き、未来を予測するものだ。群雄割拠のＡＩモデル開発競争はどう帰結し、争奪戦が続くＡＩ半導体にどんな死角があるのか。「ピック＆ショベル」の代表格であるＡＩ開発基盤の覇権を握るのは誰か。米中対立を背景とする「ＡＩ地政学」がどう変化するのか。そこには勝者と敗者が存在する。

覇権争いの領域で分けた第１章から第５章は関連しているが、それぞれの章だけを読んでも文意が通るように工夫した。例えばＡＩ半導体に関心がある場合は第２章を、ＡＩを巡る地政学の行方を知りたい読者は第４章を、興味のあるテーマから読み進めていただきたい。

インターネット以来の発明とも言われるテクノロジーを、過度な期待も過小評価もせず、客観的に推し測る。本書は生成ＡＩに関するノウハウを提供するものではなく、有力プレーヤーの戦略や技術力、思惑などを通して新しい経済圏の未来を見通す試みである。それが、企業で生成ＡＩを利用した事業企画やサービス開発に従事するビジネスパーソンにとって、このテクノロジーと正しく付き合う一助になると信じている。

日経ＢＰシリコンバレー支局 記者
島津 翔

目次
Contents

目次
Contents

第5章
人類 vs. AI
AIゴールドラッシュの勝者と敗者

第 1 章

AIモデル

「超知能」は誰の手に、AI乱世の帰結

[本章に登場する主なプレーヤー]

OpenAI（オープンAI）、Google（グーグル）、英DeepMind（ディープマインド、現在のGoogle DeepMind）、Microsoft（マイクロソフト）、Anthropic（アンソロピック）、Amazon.com（アマゾン・ドット・コム）、Meta（メタ）、Databricks（データブリックス）、xAI、仏Mistral AI（ミストラルAI）、カナダ・Cohere（コーヒア）、イスラエル・AI21 Labs（AI21ラボ）、Inflection AI（インフレクションAI）、英Stability AI（スタビリティーAI）、ELYZA（イライザ）、KDDI、ソフトバンク、NTT、NEC、Sakana AI（サカナAI）

※特記以外は米国・日本企業

[キーワード解説]

■生成AI

様々なコンテンツを生成できるAI（人工知能）。従来のAIもデータを基に学習することで、情報の特定や予測、決められた行為の自動化は可能だった。一方で、生成AIは創造することを目的にデータのパターンや関係を学習している。米OpenAIのChatGPTは生成AIを利用したアプリケーションの一種。

■大規模言語モデル（LLM）

機械学習の一種である「ディープラーニング」と膨大なデータを使って構築したAIのモデル。「大規模」とは計算量、データ量、計算を行うための変数（パラメーター数）が巨大であることを指す。人間に近い流ちょうな会話が可能で、近年注目を集める。ChatGPTの基盤技術である「GPT-4」もLLMの一種。本書ではLLMを含むモデルを「AIモデル」と呼ぶ。

■パラメーター数

機械学習のAIモデルが学習中に最適化する必要のある変数のこと。モデルが入力されたデータを処理するために使用される。一般にパラメーター数が大きくなればなるほどモデルの性能が向上するとされる。OpenAIの「GPT-3」のパラメーター数は1750億で、「GPT-4」は公開されていないが1兆を超えるとされる。

■トランスフォーマー

2017年に米Googleの研究者が発表したディープラーニングの構造の一種。従来のディープラーニングに比べて拡張性や記憶力、学習能力、汎用性に優れるとされ、生成AIを実現するための技術的なブレークスルーとされる。GPT-4など近年の主要なAIモデルは多くがトランスフォーマーを採用している。

■ファインチューニング

訓練済みのAIモデルに対して、別のデータを使って追加でトレーニングすること。追加学習とも呼ぶ。事前学習に比べて少量のデータで済むという特徴がある。自社の事業領域に特化させるなど、特定のタスクに対してモデル性能を上げる目的で使用される。

■RAG（Retrieval Augmented Generation、検索拡張生成）

大規模言語モデル（LLM）に外部情報を検索・参照させることで生成AIの回答精度を高める仕組み。AIがもっともらしく誤情報を回答する「ハルシネーション（幻覚）」を防ぐ方法として注目を集める。ファインチューニングのようにLLMに学習を追加する仕組みではない。

■マルチモーダル

人間の脳のように、異なる種類の情報をまとめて扱う能力。テキストや音声、画像、動画などのデータを統合して処理できるため、単一情報を処理する「シングルモーダル」と比較して複雑なタスクを実行できる。GPT-4や米GoogleのAIモデル「Gemini」はマルチモーダルが特徴。

オープンAI（OpenAI）対グーグル（Google）の一騎打ち。そんな時代は過ぎ去った。百花繚乱のAI（人工知能）モデルに目まぐるしく変わる競争軸。AI大競争時代の覇権争い第1幕は、モデルの開発競争だ。米ビッグテックやスタートアップを巻き込んだイノベーション合戦はどこに行き着くのか。日本勢による「日の丸AI」の勝算は。「超知能」を手にする勝ち馬は誰か。シリコンバレーで目撃した壮絶な闘争劇をリポートする。

オープンAI誕生秘話

2012年、米テスラ（Tesla）が電気自動車（EV）「モデルS」を発売し、米スペースX（SpaceX）が国際宇宙ステーションに物資を積んだ無人宇宙船「ドラゴン」を打ち上げ、民間企業として初めてドッキングに成功した年、米カリフォルニア州ホーソーンにあるスペースXの工場で、2人の人物が向かい合っていた。1人は起業家で同社CEO（最高経営責任者）のイーロン・マスク氏、もう1人は英ディープマインド（DeepMind、現在のGoogle DeepMind）のCEO、デミス・ハサビス氏だ。幼少期には「チェスの神童」と呼ばれ、その後、AIの世界に転向。現代のAI開発の世界的トップランナーである。

議論のテーマは、社会が直面する最大の脅威＝AIだった。ハサビス氏はマスク氏に、

ＡＩの進歩が社会にもたらす潜在的な危険性を強調した。この会話を機に、マスク氏はＡＩのリスクを深く懸念するようになっていく。

「ＡＩシステムが人間に取って代わり、我々の種を無用の存在にするか絶滅させるかもしれない」。マスク氏は２０１３年、グーグルで当時ＣＥＯを務めていたラリー・ペイジ氏にこう警告した。ペイジ氏は「進化の次の段階に過ぎない」と返答。マスク氏はこの発言を基に、ペイジ氏を「スピーシスト（種差別主義者）」と切って捨てるようになる。

その年の暮れ、マスク氏はグーグルによるディープマインド買収計画を知る。ハサビス氏が主導し、当時、世界最先端と言われていたディープマインドのＡＩ技術が「その能力をぞんざいに扱い、密室で隠蔽するような人物」に渡るのを懸念したマスク氏は、米ペイパル（ＰａｙＰａｌ）共同創業者であるルーク・ノセック氏とともにディープマインドをグーグルではなく自ら買収するための資金調達に奔走する。

マスク氏とノセック氏は１時間にわたってハサビス氏に電話で翻意を促した。「ＡＩの未来はラリー（・ペイジ氏）にコントロールされるべきじゃない」。

しかし、マスク氏らによる買収計画は頓挫する。２０１４年１月、グーグルはディープマインドの買収を発表。ディープマインドはグーグルのＡＩ研究組織となり、ハサビス氏が引き続きトップを務めることになった。

マスク氏の危機感は消えず、「AIの安全性」についてロビイングを加速させていく。当時のオバマ大統領と会談してAIのリスクを訴え、規制を提唱。定期的に夕食会などを開催し、AIリスクを周囲に吹聴し続けた。

サム・アルトマン氏からのメール

2015年、当時シリコンバレーの有力スタートアップ・アクセラレーターであるYコンビネーターでCEOを務めていたサム・アルトマン氏は、マスク氏にある提案を持ちかけた。AIの安全性に関する政府への公開書簡の作成だ。当時、アルトマン氏もまたAIの脅威に懸念を感じており、マスク氏が自分と同じ考えを持つことを知った。AGI（汎用人工知能）を「人類の存続にとって恐らく最大の脅威」とし、「生存と繁殖をプログラムされた人間として、私たちはそれと戦うべきだ」と喝破した。

意気投合した2人は公開書簡への署名活動を始めた。活動の噂はシリコンバレーですぐに広まり、書簡にはその後、米アップル（Apple）創業者であるスティーブ・ウォズニアック氏など1万1000人が署名することになる。

2015年5月25日、アルトマン氏はマスク氏に1本のメールを送った。これが、オープンAI創設の起源と言っていいだろう。

「人類がAIの開発を止められるかどうかについて色々と思索している。答えは、間違いなく不可能だろう。もしそうなのであれば、グーグル以外の誰かが最初に進めたほうがいい」。グーグルに対抗する組織の提案だった。

マスク氏はこの提案に「積極的なサポート」を約束。アルトマン氏は6月24日、新しい「AIラボ」の詳細をマスク氏に送った。安全性を最重視すること、技術を非営利の財団が所有し世界のために使用すること、7~10人の小さなグループからスタートすることなど、初期のオープンAIを形作る要件はこの時、アルトマン氏が提案したものだ。マスク氏は「全て同意する」と短く記して送信ボタンをクリックした。

「対グーグル」というDNA

2022年11月に対話型AI「ChatGPT」を世に出し、一躍新星となったオープンAI。彼らが今日の生成AIブームの立役者となったことに疑いはない。本書で詳しく述べていくように、米マイクロソフト（Microsoft）が1兆円以上の巨額投資を決めたオープンAI、そしてグーグルは、大規模言語モデル（LLM）と呼ばれる技術で火花を散らしていく。本章では、両者をはじめとする「AIモデル」の覇権争いを描く。

ハサビス氏やマスク氏、アルトマン氏によるオープンAI誕生の経緯は、同社設立の後で意見が折り合わず同社を去ったマスク氏が、オープンAIを相手取って起こした訴訟で明らかにしたものだ。その経緯もさることながら、特筆すべきはオープンAIがその設立前から「対グーグル」を念頭に置いた組織体だったということだろう。その生成過程におけるDNAに、ライバルへの強烈な危機感が宿命的に内包されていたわけだ。

そもそもAIモデルとは、AIがデータを解析し、推論や生成などを行う仕組みを指す。あるデータをAIに入力（例えばテキストによる質問）すると、AIモデルを通じて処理が実行され、出力（例えば質問への回答）が返ってくる。AI技術のコア中のコアである。ただし生成AIの生態系はAIモデルだけで成り立っているわけではない。モデルによる処理を動かすための計算資源である半導体、データを管理するクラウドなどのプラットフォーム、そのモデルを使ったアプリなど、いくつものレイヤーが重なり合っている。ただしその中核にあり、昨今のブームをつくり上げたのはモデル性能の向上だった。

ＡＩモデルにおける技術開発の大きな競争軸は、「規模の競争」と言える。モデルの大きさを表すパラメーター数や学習に用いるデータ量、計算量によって、誤差が減少するという「スケーリング則」を持つからだ。モデルが巨大になればなるほど一般に性能は向上する。２０２０年にオープンＡＩが公開した論文「自然言語処理におけるスケーリング則（Scaling LAWS for Neural Language Models）」によるもので、要は巨大なモデルほど高い性能を発揮することをオープンＡＩが示したわけだ。

当時からこの論文はテック業界で話題をさらい、以降、ＡＩモデルの巨大化が進んでいく。この規模の競争において、先頭を走ってきたのがオープンＡＩとグーグルだった。

オープンＡＩについて、簡単に振り返っておこう。

「全人類がＡＧＩの恩恵にあずかれるようにする」。同社はミッションをこう掲げて産声を上げた。グーグルなどから著名エンジニアを引き抜き、要素技術の第一人者が集結。スタートアップにして「世界最高峰の頭脳集団」と呼ばれる。

２０２３年２月時点の企業評価額は８００億ドル（約12兆円）とされ、10カ月で３倍に膨れ上がった。米調査会社ＣＢインサイツによれば、非上場企業の評価額ランキングでは、中国発のショート動画プラットフォームＴｉｋＴｏｋ（ティックトック）を運営するバイトダンス（ByteDance）とスペースXに次いで世界3位にランクインしている。

ChatGPTの登場以前から、AI業界のコミュニティー内では注目を集めていた同社。知る人ぞ知る世界有数のAI研究機関だった同社が米国内で認知を一気に広げたきっかけは、2020年7月に著名エンジニアのマヌエル・アラオス氏が公開した1本のブログ記事だった。

ブログの内容は次の通りだ。オープンAIは大量のテキストデータをAIに与えて学習させるLLMである「GPT-3」を開発した。高度な文章を生成できるモデルで、ブロック

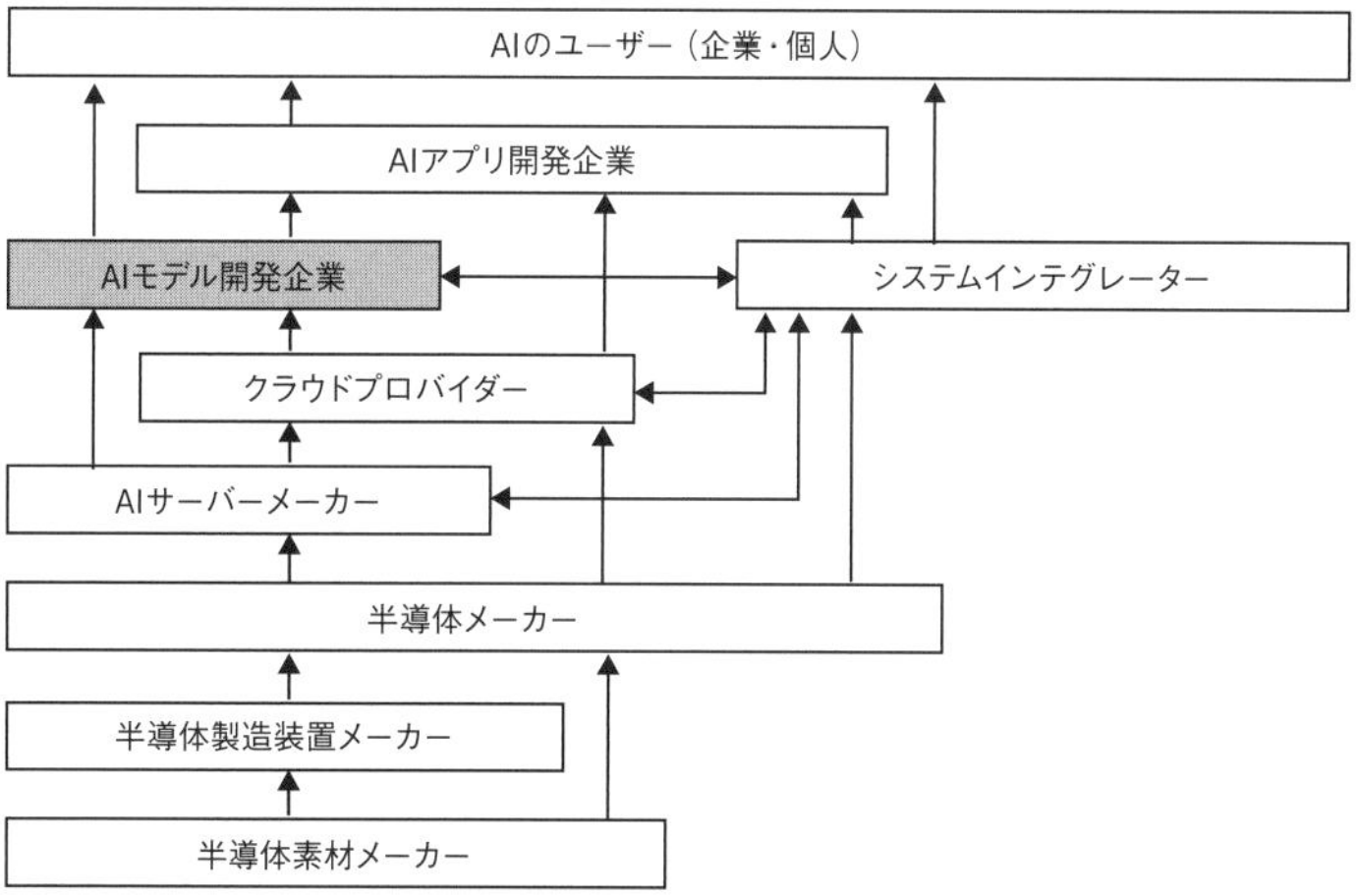

生成AIサプライチェーンの概要。本章で主に扱うのはグレーで示した「AIモデルの開発企業」。生成AIのコアとなる技術で米オープンAIなどが先頭を走っている
（出所：楽天証券の資料を基に筆者が作成）

チェーンに匹敵する破壊的可能性を秘めている——。オープンＡＩの歴史や技術的背景、モデルの活用方法などをつづった。

実は、このブログの核心は内容以外の部分にあった。「告白しよう。このブログは私が書いたのではなく、ＧＰＴ-３が書いたものだ」。アラオス氏はブログの末尾にこう付記したのだ。ＧＰＴ-３に自身の「破壊的可能性」を質問し、答えた内容をコピーしてブログに載せたとし、「あなたは気付きましたか？」と読者に問いかけた。

多くの読者がだまされ、ブログは大反響を呼んだ。文章をつくり出す「生成ＡＩ」の衝撃は、こうして世界に広がった。ＣｈａｔＧＰＴは対話機能と直感的なユーザーインターフェース（ＵＩ）を持ったことで爆発的にユーザーが増えたが、要素技術は２０２０年には完成していたことになる。

ＣｈａｔＧＰＴは当初、ＧＰＴ-３をベース技術とし、「強化学習」と呼ばれるトレーニングを受けることで差別的な発言を抑えたり不適切な質問に対して回答を拒否したりできるようになった。指数関数的なユーザー数の増加の一因は、「使い方はユーザー次第」という点が使い手の興味をかき立てたからだろう。２０２２年12月ごろから、世界中のユーザーが「賢い使い方」を発見しようと競い合うような状況が始まった。

グーグルの焦燥と大失態

飛ぶ鳥を落とす勢いに、グーグルが焦ったのは当然だ。米ニューヨーク・タイムズは２０２２年12月、グーグルの経営陣が「コード・レッド（非常事態）」を宣言したと報じた。

理由の１つは、グーグルの独壇場だったインターネット検索の世界を一変させる可能性だ。ＣｈａｔＧＰＴやそのベースとなる技術をマイクロソフトが採用して「検索を再発明」することが、グーグルのビジネスを根底から覆しかねないという危惧があった。あるグーグル社員は「当時の社内に張り詰めた緊張感があったことは事実だ」と認める。インターネット以来の衝撃とも呼ばれるテクノロジーの勃興が、巨人の基盤を揺さぶり始めていた。

２０２３年２〜３月はライバル同士による発表合戦の様相を呈した。２月６日、グーグルはＣｈａｔＧＰＴ対抗となる新サービス「Ｂａｒｄ（バード、２０２４年２月にジェミニに改称）」を発表。同社のＬＬＭを搭載したＡＩチャットボットサービスで、テストユーザーに先行公開し、数週間後に一般公開の予定を組んだ。グーグルのスンダー・ピチャイＣＥＯは「我々は最新のＡＩ技術を、検索などの製品に導入するために取り組んでいる」と強調し、ライバルへの遅れを払拭しようと努めた。

しかし、結果としてこれが大失態を招く。グーグルは同８日に開いた発表会のデモンストレーションで、バードに「ジェームズ・ウェッブ宇宙望遠鏡（ＪＷＳＴ）による新たな発見は何か」と質問。バードは「初めて太陽系外惑星の写真を撮影した」と回答した。しかし、これは誤りで、実際に太陽系外の惑星写真を初めて撮影したのは欧州南方天文台の超大型望遠鏡だった。すぐにＳＮＳで物理学者などが誤りを指摘。ロイターなどが誤回答を報じた。これらを受けて株式市場でグーグルの親会社アルファベット（Ａｌｐｈａｂｅｔ）の株価は一時、前日の終値から９％近く下落した。バードによる誤答に加えて、それを見抜けないまま発表会のデモで利用した失態は、グーグルの焦りを示していた。

グーグルによる発表会の前日には、マイクロソフトが検索エンジン「Ｂｉｎｇ（ビング）」に対話型のＡＩを搭載すると発表。オープンＡＩの技術を使って、会話形式でのインターネット検索を可能にした。ＡＩが検索してくれれば人間の手間が減ることから、「グーグルキラー」とも呼ばれた新機能だ。マイクロソフトのサティア・ナデラＣＥＯはこの発表会に寄せて、過去のプラットフォーム移行について振り返った。１度目はパソコンとサーバーの発明、２度目は携帯電話とクラウドの発明だとした上で、「ＡＩはどのようにウェブをつくり変えるだろうか。この技術は、ほぼ全てのソフトウエアを再編成するだろう」と見通した。

発表会の直後、マイクロソフトの検索・ＡＩ部門で責任者を務めるディヴィヤ・クマーグローバルヘッドオブマーケティングに「新しいビングがグーグルキラーになるのでは」と問うと、「私たちは消費者だけにフォーカスしている。新たな体験を提供し続けることが自動的にエンゲージメントを高め、価値を生み出すことにつながる」と濁された。しかし、チャットボットによる検索への自信を十分に感じさせる言葉だった。

グーグルが焦った背景には、「我々がAI技術開発の先頭を走っていたはずだ」との自負もあったに違いない。本章冒頭で示した通り、ディープマインドを買収したグーグルはAI分野で一歩先を行っていたはずだった。例えば2017年に論文が公開され、後のLLM開発に多大な影響を与えたアーキテクチャーである「Transformer（トランスフォーマー）」

GTCで開かれたトランスフォーマー論文著者7人によるセッション。伝説の論文の著者の話を聞くために会場には長蛇の列ができた
（写真：日経クロステック）

は、当時グーグルに在籍していた8人によって生まれた技術だ。

その功績は今も色褪せない。

半導体大手の米エヌビディア（NVIDIA）が2024年3月に開いた年次開発者会議「GTC」で、参加者が長蛇の列をなしたセッションがあった。あまりの人気ぶりに参加者の入場・着席が間に合わず、開始時間が約15分遅れたほど。同社によれば約900あったセッションで最も人を集めたという。

セッションの題目は「AIの変革」。トランスフォーマーの論文「Attention Is All You Need（必要なのはアテンションだけ）」の著者が一堂に会し、エヌビディアのジェンスン・ファンCEOが司会を務めた。伝説的な論文の著者の話を聞こうと、数百人の参加者が会場に詰めかけたわけだ。

「トランスフォーマー」という革命

トランスフォーマーは革命的な発明だった。GPU（画像処理半導体）の登場（詳細は第2章を参照）で計算能力が爆発的に向上し、ビッグデータの整備も進んだ2010年代、それでもAI研究は壁にぶつかっていた。画像処理では性能が向上したものの、人間の言葉を扱う「自然言語処理」では思うように性能が上がらなかったからだ。言語は文の構造や流れを理解しなければならず、省略された単語を補って推定する高度な能力が必要だった。

トランスフォーマーは「アテンション」という機構を使って、「文脈の中で重要な単語に注目できるようにする」手法だ。従来のモデルより高速で高性能であることに加え、もう1つ大きな長所を持っていた。学習データが大規模になればなるほど、精度が格段に向上するという特徴だ。この特徴が、AIモデルにおける「規模の競争」を引き起こした。「トランスフォーマーなくしてその後のAIの発展はなかった」。生成AIの技術史に詳しいDeNAデータ本部AI技術開発部の清水遼平氏はこう位置付ける。

論文分析ツール「スカラープラネット」を提供するスキルアップNeXtの協力を得てトランスフォーマー論文の影響を分析すると、その多大な影響がはっきりと浮かび上がる。

次の図中のそれぞれの丸は論文を示しており、矢印の通り右に行くほど新しく公開されたことを表している。矢印は論文の引用・非引用の関係を表し、引用数が多いほど論文の円が大きくなる仕組みだ。黒丸が分析の主役であるトランスフォーマー論文を示している。

まずトランスフォーマーに影響を与えた論文を見てみよう。図中には大きな2つの円で示された論文がある。1つは深層学習の最適化アルゴリズムの1つである「Adam（Adaptive moment estimation)」に関する論文で、もう1つはニューラルネットワークモデル「ResNet(Residual Network)」の論文だ。

AIアプリ開発者で最先端論文にも明るいスキルアップNeXtの小縣信也CTO（最高技術責任者）は「ともにトランスフォーマーで重要な役割を果たしている考え方で、調査結果からもそれが見て取れる」と説明する。

トランスフォーマー以後の論文の系譜について、小縣氏は、「1つの系譜だけでなく、多方面に影響を及ぼした点にある」と指摘する。分析結果も同論文から矢印が無数に出て

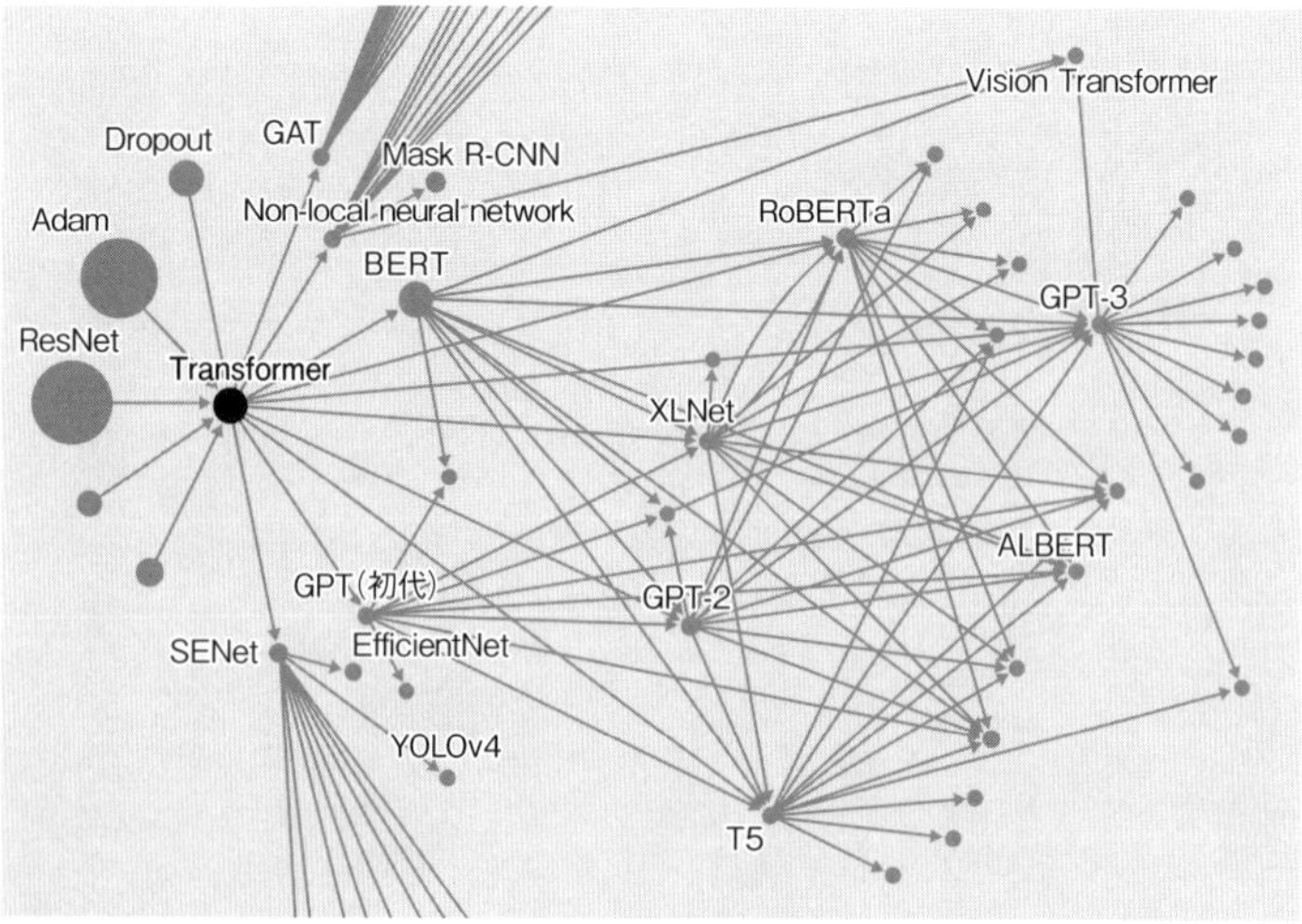

ScholarPlanetsでトランスフォーマー論文を分析した結果。矢印が論文の引用・被引用関係を表している
（出所：スキルアップNeXtの資料を基に筆者が作成）

いる様子が分かる。「技術の応用範囲が広い技術だということだ」（小縣氏）。

そして誰もいなくなった

トランスフォーマーは元々、当時最先端の言語データ処理技術であったリカレントニューラルネットワーク（ＲＮＮ）の限界を突破するために開発されたものだ。

論文の筆者によるＧＴＣのセッションで、米キャラクターＡＩ（Character.AI）のノーム・シャゼールＣＥＯはＲＮＮを蒸気機関に、トランスフォーマーを内燃機関に例え、「蒸気機関で産業革命を起こせたかもしれないが、それは苦行だっただろう。内燃機関のおかげで物事はずっとうまくいくようなった」と胸を張った。

セッションを聴講して改めて気付かされたのは、著者全員がグーグルを辞めているという事実だ。対談で最初に映し出されたスライドに書かれた著者たちの肩書に、グーグルの文字は１つもない。全員がすでに移籍・起業したからだ。論文の系譜で見た通り、技術は脈々と受け継がれている一方で、人材は流動化している。「平均在籍期間は１年未満」とも言われる生成ＡＩ関連エンジニアの転職事情。企業が技術優位性を保ち続けるのは至難の業だ。

トランスフォーマー論文の著者たちは、それぞれが別の道に歩み出している。

彼らはセッションで、ＡＩモデルや生成ＡＩの今後についても議論した。

医療系ソフトウエアを開発する米インセプティブ（Ｉｎｃｅｐｔｉｖｅ）のヤコブ・ウスコライトＣＥＯはＧＰＵなどの計算リソースの問題に言及。「重要なのは、与えられた問題に見合った量を取り組み、見合った量のエネルギーを費やすことだ」と指摘。優しい計算問題にトランスフォーマーを使った１兆パラメーター規模のＬＬＭを利用すべきではないと主張した。「世界はトランスフォーマーより優れたモデルを必要としている」。ＬＬＭを開発するカナダのコーヒア（Ｃｏｈｅｒｅ）でＣＥＯを務めるエイダン・ゴメス氏はこう語った。グーグルやオープンＡＩのライバルと言われるコーヒア。ゴメス氏のコメントは自分自身の決意とも受け取れた。

８人を擁したグーグルが２０１７年時点で先頭を走っていたのは間違いない。先行していたことによる自信は、オープンＡＩの躍進によって危機感へと変わっていった。

ＧＰＴ－４、「マルチモーダル」の衝撃

マイクロソフト・オープンＡＩの自信とグーグルによるバードの失態――。２０２３年２月の時点で「先行するマイクロソフト・オープンＡＩ連合、後追いするグーグル」という構

図がはっきりしてきていた。

オープンＡＩが先行する構図はその後も続く。２０２３年3月には最新モデル「ＧＰＴ‐４」を発表。テキストに加えて画像の入力にも対応する「マルチモーダル」が特徴で、画像を読み取ってその内容をテキストで説明するといった使い方ができるようになった。性能もさらに向上した。前モデルと比較して、米国司法試験の模擬試験を解かせた際の成績が大幅に上がったという。２０２４年時点でも、ＡＩモデル開発競争の主要なベンチマークモデルがＧＰＴ‐４であることからも、オープンＡＩの技術力の高さが読み取れる。

１９６０～70年代に「ロックの聖地」と呼ばれ多くのアーティストを輩出してきた米サンフランシスコのイベント会場は、熱気に満ちあふれていた。２０２３年11月、オープンＡＩが初めて開いたカンファレンスに、１０００人近くの聴衆が詰めかけたからだ。

同社は一度に扱えるテキスト量と知識を増やしたＬＬＭである「ＧＰＴ‐４ターボ」を披露した。ＧＰＴ‐４の次世代モデルに位置付けられる。「1年間、世界中の開発者との対話に時間を使い、多くのフィードバックを得た。ＧＰＴ‐４ターボは寄せられた多くの要望に対処できる」。カンファレンスに登壇したオープンＡＩのサム・アルトマンＣＥＯはこう胸を張った。一度に扱えるテキストの長さを大幅に増やした他、最新のデータを使って学習したことで知識量も増えた。

オープンＡＩはこのカンファレンスで、もう１つ新手を打った。それが、「自分の用途に特化したＧＰＴ」を作成できる「ＧＰＴｓ」という新サービスだった。「目的に合わせて、多くのことを代行してくれる、より賢いＡＩを人々は望んでいる」。アルトマン氏はこう話した。ＧＰＴｓはその「最初の小さな一歩」という位置付けだ。

ＣｈａｔＧＰＴの大流行の際、ユーザーが「賢い使い方」を競い合って探したように、ＧＰＴｓでも「我こそが用途に特化したＧＰＴをつくる」という競争が始まった。オープンＡＩはここでも、ユーザーを巻き込んでブームを巻き起こす手法に長けていた。

2023年秋にオープンAIが開いた開発者会議にはマイクロソフトのサティア・ナデラCEOが登壇した
（出所：オープンAIの配信画面をキャプチャー）

独自調査で判明したオープンＡＩの特許

一方、オープンＡＩはＧＰＴ‐４など最新技術に関するソースコードなどを公開しておらず、方針は「クローズド（非公開）」型と言える。パラメーター数は「１・８兆」との情報も飛び交うが、オープンＡＩ自身は明らかにしていない。ＧＰＴ‐３までは公開していた論文も止まったままだ。ＳＮＳでは「社名は『オープン』なのに『クローズド』な企業」との皮肉も飛び交う。

ベールに包まれているオープンＡＩの技術力。筆者は「特許」の観点でその分析を試みた。その結果、オープンＡＩが少なくとも６件の生成ＡＩに関連する特許を取得していたことが分かった。同社は特許の取得にも消極的とされ、米特許調査会社のＩＦＩクレームズ・パテント・サービス（IFI CLAIMS Patent Services）の調査でも「５件未満」とされていた。

筆者が所属する日経クロステックとＡＩ特許総合検索・分析プラットフォームを手掛けるパテントフィールドが米国特許商標庁で２０２４年３月末までに公開されている情報を調べ直したところ、６件の特許取得が判明した。

６件のうち２件は公開済み。残り４件も特許公報が発行されており、２０２４年１月から３月までに６件全てで特許権が成立している。特許出願から公開までは原則として１年半を要するため、今後立て続けにオープンＡＩの特許が公開される可能性がある。

出願者は非営利組織「OpenAI Inc.」でも事業会社の合同会社「OpenAI LLC」でもなく「OpenAI OpCo LLC」。オープンＡＩが２０２３年６月に公式サイトで更新した組織構造には企業名の記載がない。オープンＡＩに対して提起されている訴訟の訴状などによると、OpenAI OpCoはOpenAI Inc.の完全子会社で、事業会社を管理・指揮している。「OpCo」はオペレーティングカンパニー（運営会社）を意味し、米国では不動産企業などで多く使われている。パテントフィールドによれば、子会社が特許の出願・管理をする例は一般的だという。

カリフォルニア州が発行している法人登記によればOpenAI OpCoの登記地はデラウェア州で、主たる活動の住所はカリフォルニア州サンフランシスコ。筆者は登記住所とオープンＡＩのオフィス住所が一致することを確認した。６件の特許出願者にはオープンＡＩ共同創業者であるイリヤ・サツキバー氏などが含まれていることから、複数の弁理士が特許出願人を「オープンＡＩに間違いない」と分析した。

明らかになった特許出願でまず注目したいのは出願日だ。２０２３年３月14日から５月23日までに出願されている。一方で、出願を急ぐために手持ちの情報だけで出願日を確保する事前の「仮出願」が行われていたのは２０２２年７月14日の１件のみだった。２０２２年の夏時点までは積極的ではなかったと見られる。

米国では2023年の年初からChatGPTが大きなブームとなっていた。デジタル領域での特許出願に詳しい日本人エンジニアは「オープンAIは特許出願に比較的消極的だとされてきた。予想を超える流行を受けて特許戦略を変更したのではないか」と見る。

米国特許商標庁によれば、オープンAI（ここでも出願人はOpenAI OpCo）は2023年3月13日に

出願日	公開日	特許取得日	名称
2023年5月23日	2024年1月18日		コンピューターコード上で訓練された言語モデルを使用してコードを生成するために使用されるシステムおよび方法（SYSTEMS AND METHODS FOR GENERATING CODE USING LANGUAGE MODELS TRAINED ON COMPUTER CODE）
2023年5月23日	2024年1月18日		コンピューターコードに学習させた言語モデルを用いて自然言語を生成するシステムおよび方法（SYSTEMS AND METHODS FOR GENERATING NATURAL LANGUAGE USING LANGUAGE MODELS TRAINED ON COMPUTER CODE）
2023年3月14日		2024年1月30日	言語モデルベースのテキスト挿入のためのシステムおよび方法（Systems and methods for language model-based text insertion）
2023年4月19日		2024年1月30日	ビデオおよび入力データセットに基づいて自動インターフェースアクションを実行するモデル学習・使用のための機械学習の利用（Using machine learning to train and use a model to perform automatic interface actions based on video and input datasets）
2023年3月20日		2024年3月5日	外部APIの自然言語アプリケーションとのスキーマベースの統合（Schema-based integration of external APIs with natural language applications）
2023年3月30日		2024年3月5日	階層的なテキスト条件付き画像生成のためのシステムおよび方法（Systems and methods for hierarchical text-conditional image generation）

オープンAIが2024年3月末までに取得した特許の一覧。筆者などによる独自調査で判明した
（出所：日経クロステック、パテントフィールド）

「ＧＰＴ-４」の商標を出願している。同年春にオープンＡＩが権利関連の動きを慌ただしくしていた様子がうかがえる。

特許の内容を見ていこう。

最も早く公開されたのは２０２４年１月18日公開の２件で、いずれもプログラムコードの生成に関するものだ。オープンＡＩはプログラマーが書くコードをＡＩが支援する機能である「Ｃｏｄｅｘ」を公開しているほか、その技術は米マイクロソフト傘下の米ギットハブ（ＧｉｔＨｕｂ）が提供するコード生成支援機能「GitHub Copilot（ギットハブコパイロット）」にも利用されている。

ＡＩアプリ開発者で企業の知財戦略にも明るいスキルアップNeXtの小縣ＣＴＯは特許の一般論として「（協力関係にある）他社のサービスに関連する特許申請は可能だ」とする。「今回の場合、オープンＡＩがコード生成支援に関する特許を取得して、マイクロソフトにライセンスを提供する形が考えられる」（小縣氏）。

その他の特許は前掲の表の通り広い領域で取得している。ＡＩの学習にはデータに情報を与える「ラベル付け」の作業が必要で、ＡＩモデル開発の課題の１つになっている。その手間を省くための技術も特許出願した。ＡＩが生成するテキストを会話に挿入する技術や、画像生成ＡＩに関する技術も出願している。オープンＡＩは「Function Calling（ファンクションコーリング)」というツールの呼び出し機能をAPIとして提供している。ユーザーの指示に従ってAIが必要な処理を自動で判別して実行するもので、これに関連する技術も特許出願した。

スキルアップNeXtの小縣CTOは6件の特許取得について、「特許範囲の精査は必要だが、ギットハブコパイロットに利用されている技術とファンクションコーリングについて広く権利を押さえられているとしたら、他の事業者はサービスを展開しづらくなる可能性がある」と指摘している。

マイクロソフト、2度目の変身

技術的なアドバンテージに加え、オープンAIの躍進を語る上で外せないのがマイクロソフトの存在だ。オープンAIが非営利法人傘下に営利組織を新設した2019年に10億ドルを出資し、2023年1月には巨額の追加投資を決定。その出資額は100億ドルを超えるとも言われる。

その関係は今に至るまで「蜜月」が続く。まず資本業務提携によって、マイクロソフトはオープンAIの技術を独占的に利用できるクラウド事業者になった。クラウドの勢力図について詳細は第3章で触れるが、GPT-4などのAIモデルへの独占アクセスがマイクロソフトのクラウドサービス「Azure（アジュール）」の決定的な武器になっている。GPT-4を使うためにアジュールを利用する企業は少なくない。逆に、オープンAIにとっても世界シェア第2位のクラウドサービスとの連携が、ユーザーを爆発的に増加させた要因になったわけだ。

同時にマイクロソフトは、GPT-4などを矢継ぎ早に自社サービスに組み込み始めた。AIによる支援機能を「Copilot（コパイロット＝副操縦士）」のブランドで総称。「グーグルキラー」と言われた検索エンジン「ビング」だけでなく、ワードやエクセルなどのオフィスアプリをAIでアシストする「Microsoft 365 Copilot」やセキュリティー分析ツール「Microsoft Security Copilot」、企業向けビジネスアプリケーションを支援する「Dynamics 365 Copilot」などを相次いで発表した。

アプリだけにとどまらない。2023年6月にはOS「Windows（ウィンドウズ）」にコパイロットを組み込み始め、同月には量子コンピューターへの応用も明らかにした。生成AIを全てのサービスレイヤーに拡大し、それを起点としてサービスを組み替えていくような動きを続けている。「AIドリブン経営」と言える動きだろう。

「コパイロットにユーザーが列をなしている。これが今のAI革命だ」。テック業界を長年ウォッチしてきた米ウェドブッシュ証券（Wedbush Securities）のアナリスト、ダニエル・アイブス氏はマイクロソフトの一人勝ちをこう分析する。投資家はオープンAIとの蜜月で急激に生成AIにかじを切ったマイクロソフトを好感。株価は一時、アップルを抜いて世界トップに立った。時価総額が3兆ドルを超えたのはアップルに続いて2社目だ。

マイクロソフトはいかにして「AI企業」に変身したのか。戦略面と技術面で読み解いてみたい。戦略面で言えば、その種をまいたのは前CEOのスティーブ・バルマー氏だった。米アマゾン・ウェブ・サービス（Amazon Web Services、AWS）や米セールスフォース（Salesforce）などが台頭した2000年代後半、マイクロソフトはクラウドへの注力を決めた。人材を一気にクラウドに振り向け、後発ながらウィンドウズというソフトウエアの会社からアジュールの会社への変身を図った。

もともとマイクロソフトは他社が開発した技術・サービスを自社内で発展させてきた企業だ。同社が開発したOS「MS-DOS」は、米シアトル・コンピューター・プロダクツ（Seattle Computer Products、SCP）から製品のライセンスを取得したことがきっかけであり、ウィンドウズもアップルのOSから強い影響を受けている。トレンドを見極めて資本と人的リソースを集中投下するのが同社の勝利の方程式だ。ただし、スマートフォンに関してはその潜在的なマーケットに着目して「Windows Phone（ウィンドウズフォン）」などに投資したものの、アップルやグーグルに敗北した。後にマイクロソフト創業者のビル・ゲイツ氏は米ベンチャーキャピタルが主催したイベントで「これまでで最大の失敗は、何らかの私の経営ミスによってマイクロソフトをアンドロイドの立場に導けなかったことだ」と認めている。

金曜日に開かれる15人の最高幹部会

バルマー氏がまいた種による果実を刈り取ったのが現CEOのナデラ氏だった。2014年にCEOに就任するとインフラ投資を急増させ、開発・販売組織も再編。クラウドファースト企業へと変貌させた。

AI企業への2度目の変貌は、クラウドファーストの延長線上にある。「サービスの各層で、イノベーションのレバレッジが効きやすい構造になっている」。マイクロソフト本社でCMO（最高マーケティング責任者）を務める沼本健氏（取材当時はコマーシャル部門CMO）はこう説明する。クラウド基盤であるアジュールとオフィスなどのアプリに、有機的な相乗効果があるという指摘だ。今やオフィスなどもマイクロソフト365としてSaaS（ソフトウエア・アズ・ア・サービス）の形で提供されており、その基盤としてもアジュールが利用されている。

オープンＡＩのサービスをアジュールに導入するということは、クラウドだけでなく、同社のアプリにも生成ＡＩ機能を組み込みやすくなることを意味している。これを沼本氏は「サービスのレイヤリング（層の重ね合わせ方）がうまくいっている」と表現する。

ナディア氏がＣＥＯに就任してから打ち出している「グロースマインドセット（人の能力は経験や努力などによって高められるという前向きな考え方）」や「１つのマイクロソフト（One Microsoft）」の考え方も、今の相乗効果を生み出す原動力となっている。「大昔の話で言えば、ウィンドウズやＴｅａｍｓ（チームズ）、アジュールのレコメンドエンジンは全て別々のものだった」（沼本氏）。つまり、あるサービス層でイノベーションが起きたとしてもそれはその層で閉じたままで、他サービスに横展開されることは少なかった。

意思決定を大きく変えたのが、ナデラ氏が設けたシニア・リーダーシップ・チームの存在だった。ナデラ氏や沼本氏を含む約15人の最高幹部会であり、必ず毎週金曜日に開催されている。「サプライチェーンや技術的なレイヤリングなどをその場で常に議論していく。例えばオープンＡＩの技術をどう生かすかという点も、レイヤリングさえ決まればそれぞれのチームがどんどん動けるようになる」（沼本氏）。

「コパイロット」を支える人間理解

もう1つ見逃せないのが、マイクロソフトのＡＩに関する技術力だ。コパイロットはオープンＡＩのＧＰＴ-4を利用しているが、その機能を支えているのはＡＩモデルだけではない。検索エンジン、ビングの検索アルゴリズムや、情報の信頼性を上げる技術「Prometheus（プロメテウス）」など、マイクロソフトの独自技術をＡＩモデルと組み合わせている。

この独自技術を築くに当たって、重要な役割を果たしたプレーヤーがいる。米ワシントン州レドモンド。マイクロソフトが本社を構えるこの地に、「世界最先端のＩＴ（情報技術）研究所」と呼ばれる組織がある。同社傘下の研究機関、マイクロソフト・リサーチ（Microsoft Research、ＭＳＲ）だ。コンピューターサイエンスなどの基礎・応用研究を専門とするマイクロソフトの基礎研究機関で、設立は１９９１年。現在はレドモンドのほか、米ニューヨークや中国・北京、カナダのモントリオールなどに拠点を構える。

ＭＳＲの重要な研究テーマの1つが、「人間理解と共感（Human Understanding and Enphathy）」。頭文字を取って社内では「ＨＵＥ」と呼ばれる。人間の感情に焦点を当て、人と人、人と技術の相互作用を研究する。

テキストデータを効率的に集約する「文脈の理解」、人の好みを考慮した「パーソナライズされた対話」、そして協力関係をデザインする「人間とＡＩのコラボレーション」などがＨＵＥの重点項目だ。そのいずれもが、ＡＩとの対話によるコパイロットを構成する主要な要素技術である。

ＨＵＥの研究グループが、コンピューターと対話できる「会話エージェント」を研究対象としたのは10年以上前に遡る。ＡＩとの対話についても8年以上前から研究を始めた。

「私たちは、（テキストや画像、動画など様々な形式の入力を扱える）マルチモーダルなエージェントと話すようになる未来を思い描いていた」。ＨＵＥグループのリサーチ・マネジャーを務める認知心理学者、メアリー・チェルヴィンスキー氏は、会話エージェントの研究を始めたきっかけをこう振り返る。

最新研究が示した「ＡＩと共感する方法」

チェルヴィンスキー氏らの研究は多岐にわたるが、その大筋はこうだ。マイクロソフトがオープンＡＩとパートナーシップを結ぶ前から、ＨＵＥの研究グループは仕事の生産性に焦点を当て、スケジュールを管理したり、適切な休憩時間を提案したりできる3～4種類のエージェントをつくった。人間を対象にテストしたところ、いずれのエージェントでも「人はストレスを感じず、より生産的になり、より集中できることが分かった」（チェルヴィンスキー氏）。

LLMの実用性が明らかになった後、HUEの研究テーマには「AIとの共感」が加わった。共感を基にどのように人間は会話を展開するのかを調べ、より共感できる話し方とは何なのかを研究した。

共感をテーマとしたのは、775人を対象とした調査で「人間はほとんどの場面でLLMから共感を得たかった」との回答を得たからだ。その後の研究で、「人々が共感を得たい場面」と「そうではない場面」の差分も分かってきたという。

MSRは独立した研究機関であり、チェルヴィンスキー氏は「我々が直接的にコパイロットの開発に関わったわけではない」という。ただし「我々の研究は製品開発グループに影響を与えており、我々の（エージェントの）試作品が、ユーザーのニーズを理解するのに役立った」とチェルヴィンスキー氏は話す。

博士号を持つ認知心理学者として、チェルヴィンスキー氏は「（マイクロソフト製品ではなく一般的に）今のAIは十分に共感的ではない」と課題を指摘する。人々が求めているのは、すぐに回答するのではなく、時に追加で突っ込んだ質問をして人間の意図を確かめたり、ユーザーの志向に応じてやり取りしたりできるAIだという。「より共感的なAIが未来の姿だ」とチェルヴィンスキー氏は見通す。

一方で、「人間の会話ではないことをはっきり分かるようにすべきだ」とも提案する。AIがより共感的になってニーズに合わせようとすればするほど、ユーザーはAIを人間だと思い込んでしまうリスクがある。「会話している相手が『時に間違いを起こすAIだ』と常に認識できるようにしなければならない」(チェルヴィンスキー氏)と指摘する。

生成AIに関する技術開発では、「正確さ」「応答の速さ」などのパフォーマンスに焦点が当たりがちだ。一方で、AIが人間を支援する機能である以上、「人との接点」をデザインすることは欠かせない。MSRの基礎的な「人間理解」の研究が、今後のコパイロットの展開を助けることも間違いないだろう。

アルトマン解任劇でマイクロソフトが得たもの

2023年11月に起こったオープンAIの〝お家騒動〟を巡っても、マイクロソフトの存在感は大きく、実質的にオープンAIの生殺与奪権を握っているとの声も大きかった。

オープンAIが唐突にアルトマン氏の解任を発表したのは2023年11月17日。同社は声明で「アルトマン氏は取締役とのコミュニケーションにおいて一貫して率直さを欠き、取締役の責任を果たす能力に支障を来しているとの結論に至った」とコメントした。当日からマイクロソフトや他の投資家はアルトマン氏の復帰に向けて動き出した。交渉が決裂すると、2日後の19日にはマイクロソフトのナデラCEOがX（旧ツイッター）で、アルトマン氏らをマイクロソフトに迎え入れると電撃的に発表。新設するAI研究チームのリーダーに就任することを明らかにしたのだった。

「オープンAIの取締役会が子供向けのボードゲームに興じている間に、ナデラ氏はチェスを指した」。ウェドブッシュ証券のアイブス氏はマイクロソフトの動きをこう評する。オープンAIの騒動を掌握するとともに、アルトマン氏を手中に収めることで生成AIにおける主導権争いを優位に進めることができるという、まさに妙手だった。

マイクロソフトの総取りで帰結か――。衝撃的な発表もつかの間、20日にはオープンAIの社員たちが取締役会に対し、「アルトマン氏らを復帰させなければ退社する」と要求する嘆願書を提出。取締役全員の退任を求め、マイクロソフトへの移籍も示唆していた。米報道によれば770人の社員のうち730人以上が署名した。こうして翌21日、オープンAIは折れるようにアルトマン氏の復帰を公表したのだった。

結局この騒動は、オープンAIは重大局面で、マイクロソフトの意向を無視した意思決定が難しいという事実を浮き彫りにした。騒動の結果として、マイクロソフトは取締役会に議決権のないオブザーバーとして加わることとなり、その影響力はより強まったと見ていいだろう。

グーグルの反撃、ジェミニの強さ

「これまでで最も高性能かつ汎用的なモデルだ」。グーグルのピチャイCEOがこうコメントし、反撃ののろしを上げたのは2023年12月だった。次世代AIモデル「Gemini（ジェミニ）」の登場である。

ジェミニはテキストや画像、音声、動画、プログラムコードなど様々な種類の情報に対応できる「マルチモーダル」が特徴だ。グーグルは記者説明会で、ジェミニを使ったデモンストレーション動画を披露し、カメラで読み込んだ映像で人間が何をしているのか答えたり、その映像を基にクイズをつくったりする様子を示した。

もっとも発表の翌日、米メディアは「デモ動画は編集されたものだった」と一斉に報じ、中には「捏造」と強い言葉で非難した報道もあった。グーグルはこの動画の応答がリアルタイムではなく、映像の静止画を見せた上でテキストによってジェミニに指示していたことを認めている。バードに続いてジェミニでも、グーグルは発表の過程でミスをするという過ちを繰り返したわけだ。

誇張されたデモ動画の表現によって水を差されたものの、ジェミニが高い能力を持つことに変わりはない。「ジェミニは長年のＡＩ開発の成果だ」。米キーバンク・キャピタル・マーケッツ（KeyBanc Capital Markets）のアナリスト、ジャスティン・パターソン氏はグーグルの本気度を認める。

「調査した32種類のベンチマークのうち30種類で現在の最先端モデルをはるかに上回った」。グーグル傘下のＡＩ研究機関グーグル・ディープマインドのイーライ・コリンズ副社長は、ジェミニの最大モデル「ジェミニ・ウルトラ」についてこう説明する。

グーグルによれば、ジェミニ・ウルトラは数学や物理学、歴史、法律など57科目を組み合わせて知識と問題解決能力をテストする「ＭＭＬＵ」で90・0％を記録。人間の専門家のパフォーマンスを初めて上回ったモデルだという。グーグルは、ほぼ全ての指標でＧＰＴ-４のパフォーマンスをジェミニ・ウルトラが上回ったとしている。

米トゥルイスト証券（Truist Securities）はリポートで「グーグルは、検索やユーチューブ、Ｇメールなどの独自データで学習できるという競争上の優位性を持っている。強化された学習とマルチモーダルの機能で、ジェミニはより思慮深く、正確で、有用なものになるだろう」と分析する。

グーグルの追撃は続いた。ジェミニ発表の2カ月後には早くも次世代版である「ジェミニ1・5」を公開した。特徴は入力できるテキストなどの長さを大幅に増加させた点にある。前世代版である「ジェミニ1・0プロ」は3万2000トークンが上限だったが、「同1・5プロ」では標準で12万8000トークンに増えた。さらに、限られた開発者は100万トークンで利用できるとした。グーグルは「研究レベルでは1000万トークンのテストにも成功した」としており、今後さらなる拡張も考えられる。

100万トークンは、オープンAIの最新モデル「GPT-4ターボ」が持つ12万8000トークンを大きく上回る水準だ。約1時間の映像、約11時間の音声、3万行以上のプログラムコード、70万単語以上のテキストに相当する。

入力するトークンが増えれば増えるほど、映像や音声などを入力するマルチモーダルの特徴をより発揮しやすくなる。グーグルは記者説明会で、劇作家バスター・キートン氏による無声映画「キートンの探偵学入門」の44分間の映像を入力した上で、登場人物が水をかぶるイラストを添えて「これが起こった時間は」と問うデモを披露した。ジェミニは「15：34」と正確な時間を回答した。グーグルによれば、映像などの筋書きや出来事を正確に分析し、映画の細部についても推論できるという。

オープンAIとグーグルは画像生成モデルでもしのぎを削る。オープンAIは2024年

2月、テキストの指示を基に最長1分の動画を出力できる生成AI「Sora（ソラ）」を発表した。当面はデザイナーや映画の制作者などだけにアクセスを許可し、モデルのフィードバックを受け付ける。同社は「AGI（汎用人工知能）を達成するための重要なマイルストーンになると考えている」としている。

ソラはテキストを動画に変換するAIモデルで、ユーザーのプロンプトを理解するだけでなく、「その指示が物理世界にどのように存在するかも理解している」（オープンAI）。高度な動画生成能力に加えて、最長1分という尺の長さも特徴だ。SNSなどでは、公開されたサンプル動画を絶賛する声が多数上がっている。

グーグルも動画生成AI「Lumiere（ルミエール）」を2024年1月に発表済み。フレーム同士が自然につながった違和感の少ない動画を生成可能だ。ただし、生成できる動画の長さは5秒にとどまり、尺の面ではオープンAIに軍配が上がっている。

オープンAIとグーグルの〝頂上対決〟は今後も続くだろう。オープンAIは次世代モデル「GPT-5」を開発していると見られる。2024年5月にはこれまでのモデル仕様の一部を公開し、そのアプローチに対して広くフィードバックを求めた。従来は仕様の多くを非公開としてきたが、広く知見を集める方針だ。同社のアルトマンCEOは発表に当たってXで「私たちは時間をかけて耳を傾け、議論し、適応させていく。（開発者にとって）何がバグで、何が（ＡＩの）判断によるものなのか明確にするためにとても役に立つだろう」と投稿した。

同月にはデータが生成ＡＩの学習でどのように使われるかを制御できるツールを開発中であることも発表した。クリエーターなどのコンテンツ所有者がオープンＡＩに対して、保有するコンテンツを学習に使用しないよう指定できるようにすると見られる。ＡＩに関するステークホルダーとの協調姿勢が鮮明になってきた。ＡＩモデル自体の進化に加えて、それを利用した検索など、新しい分野でのグーグルとの覇権争いも始まる。

一方のグーグルも、ジェミニの次世代版を柱にＡＩモデルの改良を続ける。ジェミニはサイズの大きさによって3種類のモデルがあり、最高性能モデルである「ウルトラ」のさらなる進化に加えて、スマートフォンなどでも動く軽量モデル「ナノ」も注目される。同社はスマホ「ピクセル」シリーズを展開している。こうしたエッジ側で、クラウドとの通信を必要とせずスマホ単体で動くＡＩモデルの活用はオープンＡＩにはない武器と言える。現在でも同社はピクセルに独自のＡＩ機能を搭載しているが、今後もさらなる機能追加が続きそうだ。

機能面では、２０２４年5月に開いた年次イベントでＡＩモデルを使ってユーザーのタスクを自動化する「エージェント」機能への布石を打った。グーグルのメールアプリ「Ｇメール」からユーザーが指定した添付ファイルを自動で抽出する機能などを備える。グーグル・クラウドのアパルナ・パップ副社長は、単なる生成ではなくユーザーに変わってタスクを実行するエージェントを「生成ＡＩの第2フェーズ」と表現した。エージェントがＡＩモデルを使った次なる主戦場になる可能性もある。

アンソロピック、オープンＡＩ最大のライバル

オープンＡＩのＧＰＴ-４とグーグルのジェミニ。最高峰のＡＩモデル競争に、伏兵として割って入ったのが米アンソロピック（Anthropic）だ。「オープンＡＩ最大のライバル」との呼び声が高い。

「私たちが何をしようとしているかを掘り下げるために、『パートナー』を紹介しよう」――。２０２３年11月、クラウド世界最大手であるＡＷＳが開催した年次イベント「ｒｅ：Ｉｎｖｅｎｔ（リインベント）」の基調講演で、同社のアダム・セリプスキーＣＥＯはこう言って舞台袖からある人物を呼び入れた。壇上に現れたのは、アンソロピックの共同創業者、ダリオ・アモデイＣＥＯだ。開発者をはじめとする数千人の玄人で埋め尽くされた会場からは一斉に拍手が起こった。

アモデイ氏はオープンＡＩの元幹部で、ＡＩモデル「ＧＰＴ-２」や「ＧＰＴ-３」の論文

の共著者だ。同氏ら数人が開発方針の相違でオープンAIを飛び出し、アンソロピックを創業したことも、「最大のライバル」と呼ばれるゆえんになっている。

米アマゾン・ドット・コム（Amazon.com）は2023年9月、アンソロピックに最大40億ドル（約6000億円）を投資すると発表。まず12億5000万ドルを投資し、その後、2024年3月に27億5000万ドルを追加投資した。スタートアップ投資として同社最大となる。両社は戦略的提携を結び、アンソロピックはAWSを主要クラウドとして利用する。

AWSが提供するAIの機械学習処理向けと推論処理向けの2種のAI半導体を使用して、アンソロピックがAIモデルの構

AWSの年次開発者会議の基調講演にゲスト登壇した米アンソロピックのダリオ・アモデイCEO（右）
（写真：日経クロステック）

築やトレーニングを行う。ＡＩチップの開発でも協業するという内容だ。先行するマイクロソフトとオープンＡＩのように「クラウド大手＋注目ＡＩモデル開発企業」という関係を築いたわけだ。

アンソロピックの強みはどこにあるのか。

第一に、そのモデルの性能が挙げられる。２０２４年３月、アンソロピックは次世代ＡＩモデル「Ｃｌａｕｄｅ ３（クロード３）」を発表。同社のモデルとして初めて、テキストと画像などの組み合わせ（マルチモーダル）に対応した。数学やプログラミング、大学生レベルの知識、質問に対する回答力など複数のベンチマークで性能がオープンＡＩのＧＰＴ-４やグーグルの「ジェミニ １・０ウルトラ」を上回ったという。

クロード３は用途に応じて３種類のモデルを持つ。最も高性能な「Ｏｐｕｓ（オーパス）」、応答の速さが特徴の「Ｓｏｎｎｅｔ（ソネット）」、コンパクトでコストパフォーマンスに優れた「Ｈａｉｋｕ（ハイク）」だ。１００万トークン超の入力が可能で、グーグルの最新モデル「ジェミニ １・５プロ」と同等の入力トークン長を誇る。

高性能モデルであるオーパスは、言語理解の基準であるＭＭＬＵ（Massive Multitask Language Understanding）など複数のベンチマークでＧＰＴ-４やジェミニ １・０ウルトラを凌駕《りょうが》した。同社の現行モデル「クロード２・１」と比較して、難度の高い自由回答形式の質問に対する精度は2倍になったという。

オーパスとソネットは、同社が公開しているAPI（アプリケーション・プログラミング・インターフェース）経由で159の国・地域で利用を開始。ハイクも近日中に公開するとした。日本のAIモデル開発企業の複数のエンジニアはその「画像認識能力」に舌を巻く。「GPT-4と比較しても遜色なく、完全な対抗馬が出てきたという印象だ」という。

アンソロピックはクロードをChatGPTのようにパソコンのウェブブラウザーでも利用できるアプリとして公開している。筆者も有料版でオーパスを利用してみたが、日本語での推論能力が非常に高いと感じた。ChatGPTと比較してもより自然な日本語での推論ができる印象を持った。

もう1つの特徴はAIモデルの安全性だ。アンソロピックの共同創業者でチーフサイエンティストを務めるジャレッド・カプラン氏は筆者の取材に対し、「過去2年間、我々は安全性の研究をモデルに統合する取り組みを続けてきた」と倫理性を強調した。「憲法AI」と呼ばれる独自のAIトレーニング技術を採用し、クロードの一連のモデルは、国際連合の世界人権宣言や他のAI企業が発表するガイドラインなどを学習済みだ。

敵対的な攻撃に対する安全性も高いとされる。アモデイCEOはAWSのイベントで「政府はより安全で信頼性の高いモデルを求めている。私たちは、悪用や有害な使用に対して安全なモデルとすることに多くの労力を費やしている」とコメント。米カーネギーメロン大学の研究を引き合いに「研究者が様々なモデルに対して敵対的な攻撃をしたところ、当社のモデルが突破される確率は競合の10分の1だった」(アモデイCEO)と説明した。

「オープン」対「クローズド」、もう1つの戦い

ここまで、マイクロソフト・オープンAI連合とグーグル、アンソロピックという最高峰のAIモデルを見てきた。この3者の最高性能モデルは全て、ソースコードなどを公開しない「クローズドソース」という共通点がある。AIモデルにおけるもう1つの争いが、「オープン」と「クローズド」という開発方式を巡って勃発している。

「我々はオープンソースを愛している」

「商用ソフトの帝王」の発言としては、意外な発言に聞こえるかもしれない。マイクロソフトのナデラCEOは2023年7月、パートナー企業向けの年次イベントでフェイスブックを展開する米メタ(Meta)との提携を発表し、こう発言していた。メタのLLMである「Llama 2(ラマ2)」を、マイクロソフトのクラウドサービスで利用できるようにした。

マイクロソフトは前述の通り、ChatGPTの開発元である米オープンAIに出資し、同社の生成AI技術をマイクロソフトの各種サービスに組み込む動きを活発化させている。そのオープンAIは最新のLLM「GPT-4」の技術詳細を明らかにせず、「クローズド」の方針を貫いている。プログラムのソースコードばかりか、LLMの能力を測る指標の1つであるパラメーター数さえ公開していない。

一方、メタの戦略は真逆だ。かねてよりマーク・ザッカーバーグCEOは、生成AIをオープンソースとして提供すべきだとの持論を持つ。オープンソースとは、ソースコードなど技術仕様を広く一般に公開し、多くの開発者がソフトウエアの改良や最適化を自由にできるようにすること。多くのエンジニアの集合知によって技術開発を早められるメリットがある。

オープンソースLLMの嚆矢《こうし》が、メタの「ラマ」シリーズだ。初代モデルのラマは研究用途に限って無料で提供していたが、第2世代以降は研究に加えて一般用途でも無料で商用利用可能なモデルとなっている。最新世代は2024年4月に公開した第3世代の「ラマ3」。パラメーター数が80億と700億の2つのモデルを用意した。事前学習モデルをファインチューニング（追加学習）したモデルは競合となるLLMの性能を上回ったという。例えば700億パラメーターモデルは、グーグルが提供する「ジェミニ1・5プロ」やアンソロピックの「クロード3ソネット」を凌駕《りょうが》する性能を発揮した。

メタがオープンソースでLLMを公開する姿勢については多くのエンジニアが歓迎している。第2世代は公開から1週間でダウンロードリクエストが15万を超えるなど大きな注目を集め、言語別、業界別などカスタマイズモデルが多数登場している。ザッカーバーグ氏は「オープンソースがイノベーションを起こす」と強調しており、今後も投資を続ける考えだ。カスタマイズモデルの中には特定用途でGPT-4と同等の性能を持つものも登場しているとされ、同氏の発言は一部現実のものになっている。

グーグルも最高性能モデルのジェミニシリーズはクローズドの方針を続けているが、2024年2月には同社が「オープンモデル」と呼ぶ軽量なLLM「Gemma（ジェマ）」を発表した。オープンソースは無料で利用できることに加え、プログラムソースや訓練データなどにアクセスして利用できるのが特徴だが、ジェマはソースや訓練データは公開していない。これを同社はオープンモデルと表現しており、他社が追随すれば新しい提供方法になる可能性がある。

データ分析プラットフォーム大手の米データブリックス（Databricks）も「オープン派」だ。データブリックスは企業評価額430億ドルのデカコーン（評価額100億ドル超の未上場企業）。米CBインサイツ（CB Insights）の調査では、未上場企業の評価額ランキング世界6位で、データ分析領域では世界で最も注目を集めるスタートアップの1社だ。

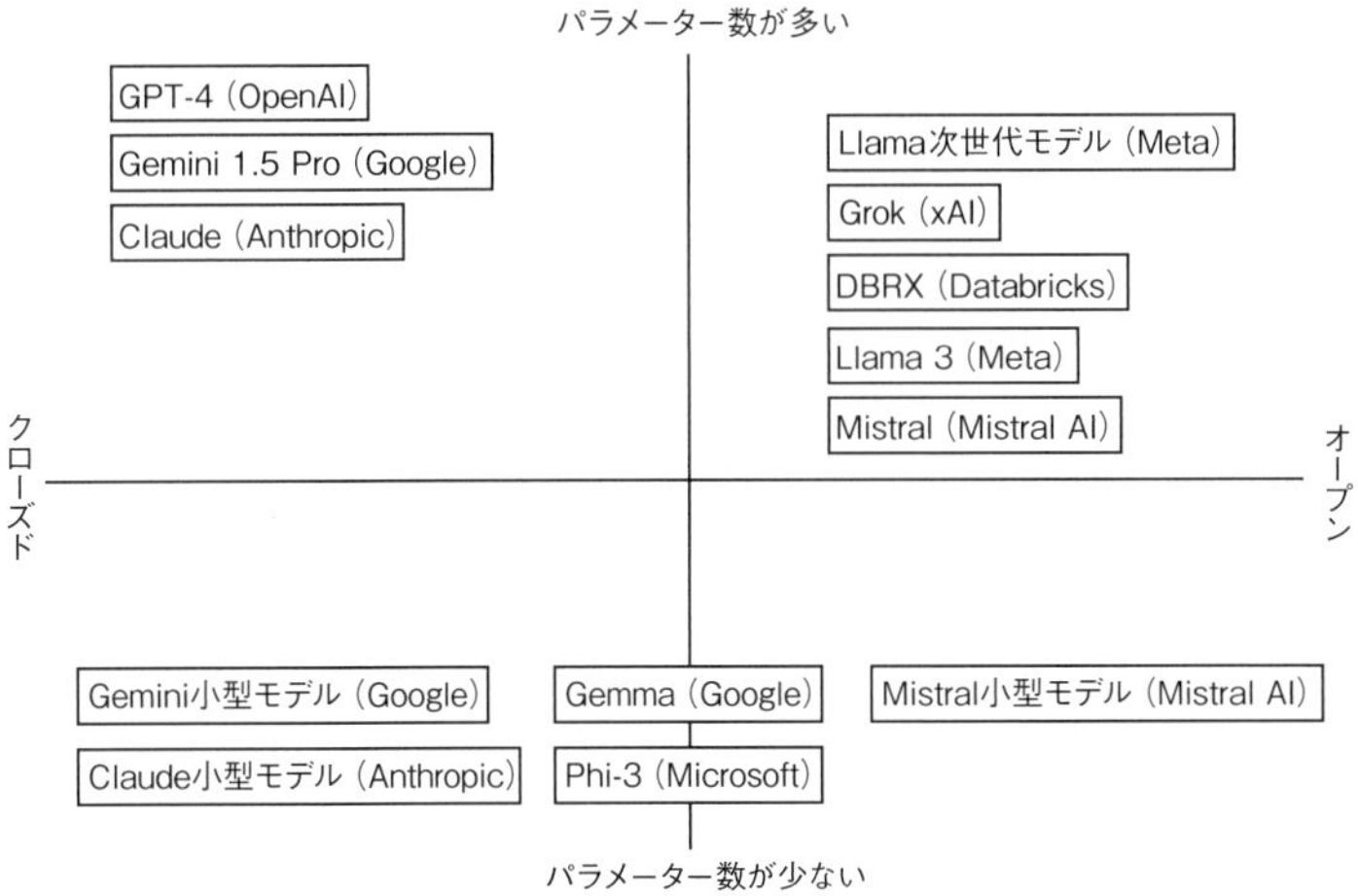

各社のAIモデルの特徴を示した模式図。パラメーター数は参考値

ＡＩの未来は、ごく一部の企業が秘密のＬＬＭを持ってユーザーがＡＰＩ（アプリケーション・プログラミング・インターフェース）で利用するものなのか、それとも企業が自らのモデルを持って知的財産をコントロールできるものなのか――。同社のアリ・ゴディシＣＥＯは顧客企業から聞こえるそうした声を踏まえ、「我々のミッションは『データとＡＩを民主化すること』であり、だからこそオープンソースでＬＬＭを開発する」と言葉に力を込める。

２０２３年４月には当時、世界初と言われた商用利用可能なオープンソースＬＬＭ「Ｄｏｌｌｙ（ドリー）２・０」の提供を開始。６月にはオープンソースＬＬＭを提供するスタートアップの米モザイクＭＬ（MosaicML）の買収を発表した。モザイクＭＬが持つ技術をデータブリックスのデータ分析基盤に統合する構想を打ち出した。

買収発表の直後、モザイクＭＬのナビーン・ラオＣＥＯは筆者の取材に応じ、「（クローズドな）モデルがごく一部の手に渡ることは問題だ。オープンなモデルを基に、それぞれの企業が自前のモデルを持つべきだ」と語った。「現時点ではＧＰＴ-４が最高のモデルだが、今後数年間でオープンソースからも多くの革新が生まれるだろう」と予測する。

オープンＡＩとたもとを分かったマスク氏もＡＩをオープンソースとして提供すべきとの信念を持つ。２０２３年7月12日、ＡＩを開発する新会社「ｘＡＩ」を設立したと発表。２０２４年３月には同社の生成ＡＩ「Ｇｒｏｋ（グロック）」をオープンソースとして公開した。

フランスのＬＬＭ開発スタートアップであるミストラルＡＩ（Mistral AI）もオープンソースＬＬＭを公開済み。同社は２０２３年６月、プロダクトが全くない状態で１億ドル以上を調達したことで一躍、注目を集めたＡＩ開発企業だ。

流出したグーグル内部文書の中身

「我々（グーグルとオープンＡＩ）が争っている間に、第３派閥が静かに勝つだろう」。米半導体コンサルティング企業のセミアナリシス（SemiAnalysis）は2023年5月、グーグル社内の研究者がリークしたとする内部文書を公開した。

内部文書は、オープンソース勢を「第3派閥」としており、「品質では我々が優位だが、その差は驚くほど早く縮まる」「オープンソースには我々がまねできない大きな利点がある。インターネットがオープンソースで動いているのには理由がある」と主張した。グーグルの一部の技術者がオープンソースモデルを脅威と感じている様子が見て取れる。

オープンかクローズドかという戦いは生成AIが初めてではない。パソコンのOS（基本ソフト）は米アップルのMacOSやマイクロソフトのウィンドウズがクローズド、「Linux」などがオープン。スマートフォンでは、アップルの「iOS」がクローズド、グーグルのアンドロイドがオープンだ。

ウェブのアクセス分析を手掛けるスタットカウンターによれば、2024年5月時点のOSのシェアはパソコンの場合、クローズド：オープン＝約90％：約10％。一方で、スマートフォンは約30％：約70％と逆転する。生成AIの世界では、どちらに軍配が上がるのか。

モザイクMLのラオCEOが言う通り、現時点でオープンAIやグーグル、アンソロピックのLLMがトップクラスの品質を持つことに疑いはない。生成AIの自社サービスへの組み込みを進める日本企業の担当者は「知名度もあるし安心感もある。マイクロソフト・オープンＡＩかグーグルのどちらかを利用することになると思う」と話す。

一方で、企業が実際にＬＬＭを利用する際に重要なのはモデルの性能だけではない。コストや使い勝手、拡張性や安全性。技術を現実のビジネスに導入するには、こうした連立方程式を解かなければならない。

安全性１つを取ってみても、オープン派とクローズド派の意見は真っ向から対立する。「オープンソースはその公開性ゆえに、悪意ある開発者に利用されてしまう」。クローズド派はこう主張して、ソースコードなどの仕様公開に慎重な姿勢を取る。アカデミアの世界でも、トロント大学のジェフリー・ヒントン教授は「ＡＩの悪用」を強調する１人だ。

一方のオープン派は、情報公開こそが安全への道だと譲らない。例えばメタでＡＩ研究を主導し、ニューヨーク大学で教授を務めるヤン・ルカン氏などが署名し、バイデン大統領に宛てた書簡で、オープン派は「コードを公開すればエンジニアがリスクを洗い出し、結果として安全性は高まる」と主張した。ヒントン氏とルカン氏はともに「ＡＩのゴッドファーザー」と呼ばれる大家。最先端にいる２人でさえ意見が真っ向から対立している。

実用に当たってはコスト面も重要な要素になる。「画期的な技術が登場した」という熱は徐々に冷め、生成ＡＩは今後、「それぞれの企業が実際にこの技術をどう実用化するか」というフェーズに入っていく。生成ＡＩに関しては、一般論としてクローズドモデルは高品質で高価格、オープンモデルは品質が相対的に低く、低コスト・無料と言えるだろう。多くの企業では自社サービスへの導入に当たってコストの観点は重要になる。この点ではオープンソースに分がある。

メタのザッカーバーグ氏は2024年1月、同社のSNS「Threads（スレッズ）」の投稿で、長期的なビジョンとして「一般知能」をオープンソースで提供するとも語った。オープンAIなどが「AGI（汎用人工知能）」と位置付けている超高性能AIを指すと見られる。もしこの構想が実現すれば、今はクローズドモデルが主流のLLMの景色は一変する。いまだオープン対クローズドという覇権争いに決着は付いていない。

AIモデル開発スタートアップの明暗

AIモデル開発スタートアップの勃興も見逃せない。新興投資が減速する中で、この分野では多数のユニコーンが生まれている。オープンAIやアンソロピックだけでなく、筆者が注目する新興勢を2社、紹介したい。

まず挙げたいのが、カナダのコーヒア（Cohere）。その名を一躍有名にしたのは、2022年8月の調達ラウンドだった。米オラクル（Oracle）やエヌビディア、セールスフォース傘下のセールスフォース・ベンチャーズ（Salesforce Ventures）などテック大手がこぞって投資したことが話題を集めた。

共同創業者であるエイダン・ゴメスCEOは、前述の通りAIの性能を飛躍的に向上させたとされるトランスフォーマー論文の共著者。ヒントン氏やAI研究の第一人者であるスタンフォード大学教授、フェイ・フェイ・リー氏が支援することも注目される理由となっている。「著名な専門家に加えて、AIコミュニティーで最も優秀な人材を集めることができている」。コーヒアでコミュニケーション責任者を務めるジョシュ・ガードナー氏はこう説明する。

同社はオープンAIのChatGPTやグーグルのジェミニなど、消費者が利用できる対話型AIではなく、企業ユーザーに特化したLLMを開発する。「企業が自社の内部データに基づいてモデルを調整できる」（ガードナー氏）のが強み。オラクルやグーグル、AWSなどの主要クラウドサービスで利用できる。

AIがもっともらしく誤りを回答するハルシネーション（幻覚）を防ぐ技術である「RAG（検索拡張生成）」にも強みを持つとされる。コーヒアの企業向けAIアシスタントサービス「Coral」は初期設定でRAGを実現する機能を備えており、企業が自社データと接続することでハルシネーションを低減する。「RAG技術のパイオニアが私たちのチームに所属している」とガードナー氏は言う。2024年4月に発表したAIモデル「Command R+」も開発者から性能を高く評価されている。

もう1社が、イスラエルのAI21ラボ（AI21 Labs）。クラウド大手と業務提携する有力企業だ。連続起業家で同社のCEOのオリ・ゴシェン氏、自動車の運転支援システムを開発するイスラエルのモービルアイ（Mobileye）の創業者であるアムノン・シャシュア氏、スタンフォード大学名誉教授のヨアヴ・ショハム氏が創業した。

「タスクに特化したAIを構築しているのが我々の独自性だ」。ゴシェンCEOはこう解説する。テキスト生成などの目的に特化したLLMをAPIで提供するのがAI21ラボの戦略だ。LLMを開発するほか、自社で生成AI開発基盤「AI21 Studio」も手掛ける。同社はこうした目的特化型のAIモデルを「モジュール」と呼び、顧客はそれらを組み合わせて自社に最適なAIアプリを構築する。

ゴシェンCEOは他社との違いを次のように説明する。「オープンAIはAGI（汎用人工知能）の開発を目指す企業であり、アンソロピックはいかに安全にモデルを展開するかに重点を置く。我々は、信頼性の高いエンタープライズ向けのAIに焦点を当てている」。

AIモデル新興勢を巡っては、米巨大テック企業による争奪戦が始まっている。マイクロソフトのオープンAI、アマゾンのアンソロピックのような巨額投資だけではなく、業務提携を見据えた少額投資も数多い。テック大手はモデルを自社開発する一方で、モデルの多様性などを求めてモデル開発企業に秋波を送っている。AIモデル開発スタートアップの奪い合いは、今後もしばらく続きそうだ。

一方で、新興勢の明暗もはっきりしてきた。例えば、米リンクトイン（Linkedin）共同創業者のリード・ホフマン氏などが設立したインフレクションAI（Inflection AI）。2023年に40億ドル（約6000億円）の評価を受けた有力スタートアップだった。同社は消費者向けのAIモデルに特化してきたものの、2024年3月に同事業を断念。企業向け分野に重点を移すと発表した。アクティブユーザー数が100万人を超えていた同社のサービスでも収益化が難しいことが明らかになった形だ。

事業断念の発表同日、マイクロソフトはインフレクションAIでCEOを務めていたムスタファ・スレイマン氏をマイクロソフトが新設するAI研究部門の責任者として迎えることを明らかにした。米メディアはマイクロソフトによる実質的なインフレクションAIの救済だったと報じている。

画像生成AI分野でも、英スタビリティーAI（Stability AI）が苦境に立たされている。テキストによる簡単な指示を入力するだけで緻密な画像を生成する「Stable Diffusion（ステーブル・ディフュージョン）」で世間を驚かせたスタートアップだ。「AIの民主化」を掲げ、AIモデルをオープンソースで商用利用可能な状態で公開している。

2024年3月にはCEOだったエマド・モスタク氏が辞任。それまでに中心メンバーも複数、離脱している。モスタク氏はXで自身が持つ同社株が議決権の過半を握っており、「権力の集中は私たち全員にとって悪いことだ」と辞任の理由を語った。一方で同社には、財務状況の悪化などが指摘されており、オープンソースのビジネスモデルの難しさが改めて浮き彫りになっている。

「日の丸LLM」の生きる道

AIモデルの覇権争いで米国企業がトップ争いを繰り広げる中、日本勢による「日の丸LLM」の開発競争も激しくなってきた。背景の1つは「経済安全保障」だ。グローバル社会の中で、モノやサービスをつくるためのサプライチェーンが複雑化し、その網は今や世界中に広がる。有事や地政学的な問題が勃発すれば、サプライチェーン上のリスクも顕在化し、日本国内での提供が危ぶまれる事態となる。こうした経済面の脅威に備えるのが経済安全保障の考え方だ。

LLMの開発や、開発のための計算資源を日本国内に自前で確保することが、生成AI分野での安全保障につながる。自民党は2023年5月に「AI新時代における日本の国家戦略」を提言。国内におけるAI開発の重要性を主張した。経団連も同6月に政策提言を発表し、「経済安全保障の観点からも我が国が最先端のAIを独自に開発する能力を具備することは不可欠」と強調している。

「日本独自のものが必要かというと、それは絶対につくらなければならない。日本語に特化したモデルができれば、少なくともデータやお金が海外に一方的に出ていくといった状態を改善できる」。スーパーコンピューターを使った大規模シミュレーションなどの研究に携わってきた東京工業大学の横田理央教授は、日経クロステックに対しこう懸念を示した。

一方で、安全保障だけをうたっても国産LLMの普及は実現しないだろう。米ビッグテックのある企業のソフトウエアエンジニアは「ユーザーは、LLMがどの国で開発されたかなんてほとんど意識しない。ビジネスユースで重要なのは性能とコスト。この2点に尽きる」と話す。政府が「日の丸LLM」の旗を立てても、性能が劣ればユーザーは笛吹けども踊らない。日本勢各社は後発ながら開発手法などを工夫することで、AIモデルの開発競争に名乗りを上げている。

「グローバルのLLMに匹敵する水準を達成した」。AIスタートアップであるイライザ（ELYZA）の曽根岡侑也CEOはこう言って胸を張った。東京大学・松尾豊教授の研究室出身の新興企業で、2024年3月に「国内勢として最高性能となるLLMを開発した」と発表した。

メタがオープンソースソフトウエアとして公開しているラマ2をベースに、イライザが独自に用意したデータを使って日本語能力を強化。パラメーター数は700億だ。日本語処理に関するLLM性能を評価する基準を使ってグローバルモデル7種類との比較をテストしたところ、文章の執筆や推論など6項目に限れば、グーグルのジェミニ 1・0プロなどを上回る4位に入った。

「2023年末時点では、国内モデルがグローバルモデルに大きな差を付けられていた」。曽根岡氏は国内勢の開発状

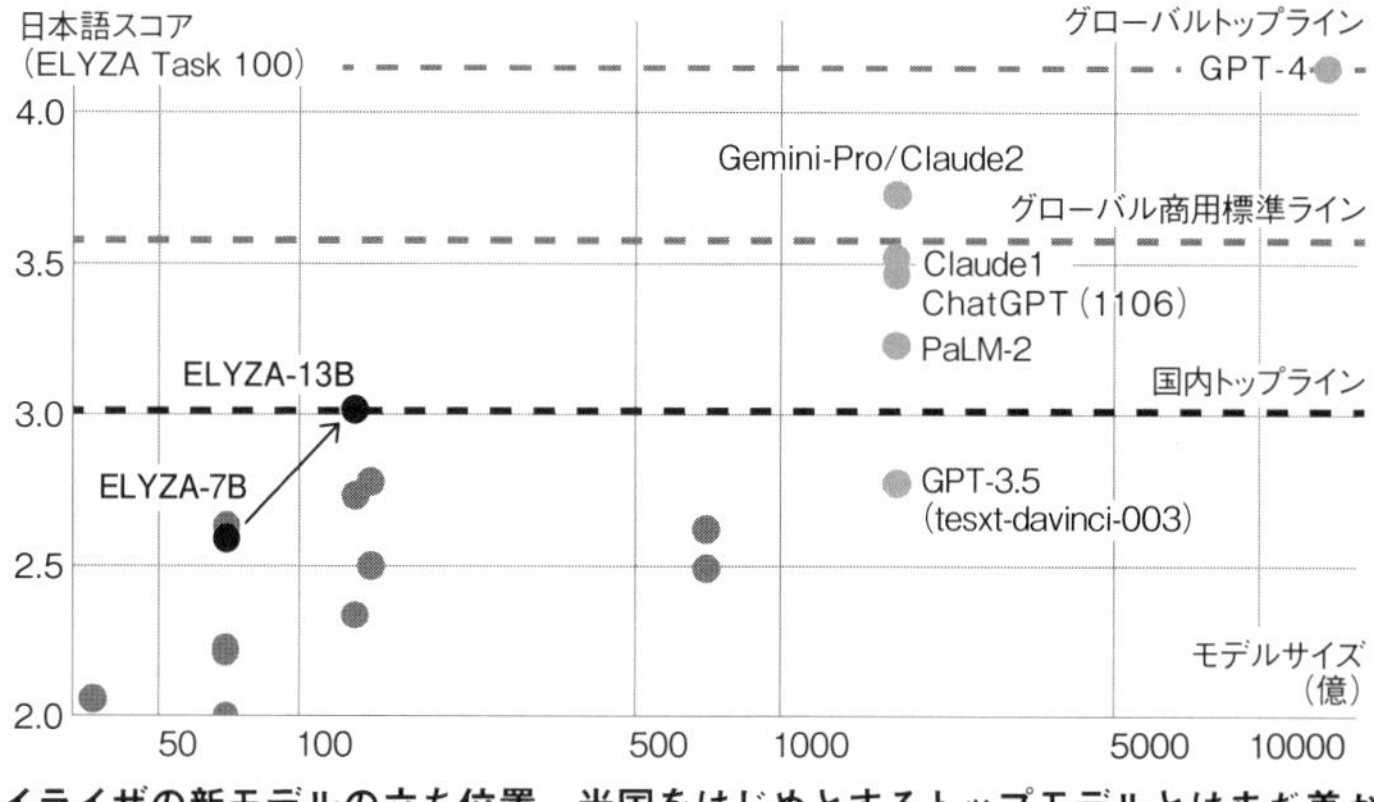

イライザの新モデルの立ち位置。米国をはじめとするトップモデルとはまだ差があるが、曽根岡侑也CEOは「国内のLLMの最高水準が、やっとグローバルの商用レベルに並んだ」と位置付ける
(資料：イライザ)

況をこう説明する。国内最高となるモデルを開発したものの、商用水準という土俵に初めて立ったに過ぎないと立ち位置を分析する。

グーグルやマイクロソフトなどのビッグテックと伍していくには開発リソースと販売網が必要──。「このままでは3～4年で資金が尽きて、グローバルプレーヤーだけが使われるといった状態になりかねない」。曽根岡氏は危機感をあらわにする。イライザが選んだ道はKDDIによる完全子会社化の道だった。「今、我々がGPT-4と同じレベルのモデルがつくれたとしても、企業に使ってもらうためには壁がある。運用フェーズで使われる計算リソースも必要だし、営業網もある。我々が単独でやっていても、市場シェアの1％も取ることができない」。曽根岡氏はKDDIによる子会社化発表の後で、筆者にこう説明した。

ソフトバンクが目指す1兆パラメーター

資本力を武器に最高性能モデルという高みを目指すのはソフトバンクも同じだ。宮川潤一社長兼CEOが2023年5月に独自LLMの開発を表明。AI子会社を新設し、同10月には「国内最大級」となる開発用計算基盤の稼働を開始したと発表した。12月時点で1300億パラメーターを持つLLMの性能を検証。当面の目標を3900億パラメーターに設定した。マルチモーダル化も進め、2024年度中に完成させるという。

さらに宮川氏は2024年2月の決算会見で、「パラメーター数1兆超え」を目指すと発言。「大規模モデルをつくって、目的のサイズまで最適化するのが生成AI構築の潮流」と述べ、1兆超えのモデルを開発した後にモデルサイズを小さくするといった最適化を図る考えを明らかにした。

国内勢では他にも、情報通信研究機構が1790億パラメーターを持つLLMを開発中。産業技術総合研究所など3者も1750億パラメーターの日本語特化LLMの構築に着手している。

オープンAIやグーグルなどによる「規模の競争」は、スケーリング則を持つLLMの王道・定石と言える。一方で、NTTやNECが選んだのは別の道だ。「小さなLLM」という選択肢だ。

NTTが2024年3月に商用利用を開始したLLM「tsuzumi（ツヅミ）」のパラメーター数は6億と70億で、1兆を超える争いが続く中では桁違いに少ない。NECの「cotomi（コトミ）」も130億パラメーターにとどまる。

両者の小さなLLMには、これまで蓄積された日本語の処理技術を活用して、パラメーター数が比較的少なくとも日本語での性能が高いという共通点がある。軽量化はコストに直結する。NTTの試算では、学習データを3000億トークンとした場合の学習コストは、オープンAIのGPT-3（1750億パラメーター）が4・7億円かかるのに対し、ツヅミの70億パラメーター版は1900万円から、6億パラメーター版にいたっては160万円からと300分の1以下になる。LLMを使った推論コストも6億パラメーター版はGPT-3の70分の1だ。

ハードウエア側の負担も軽くなる。6億パラメーター版はGPU（画像処理半導体）などのAI向けチップを利用しなくても、汎用チップであるCPU（中央演算処理装置）で動作するという。LLMを利用する企業にとって、推論などにかかる計算コストやハードウエアの負担は、そのまま事業収支に影響する。性能とコストのバランスを考えた戦略と言えるだろう。

サカナの群れが行き着く先

グーグルでAI研究者を務めたライオン・ジョーンズ氏とデビッド・ハ氏、スタビリティーAIでCOO（最高執行責任者）を務めた伊藤錬氏が共同創業したサカナAI（Sakana AI）は世界中から注目を集める日本のスタートアップだ。日本を拠点にすることにメリットがあると踏んでいる。

1つは人材獲得だ。競争の激しい米シリコンバレーでは人材面でも熾烈《しれつ》な争奪戦が続き、年収数億円のオファーも珍しくない。「我々は海外からの人材に、住環境の準備も子供のインターナショナルスクールの紹介もしている」と伊藤氏。日本のトップエンジニアだけでなく、世界中から優秀な人材を呼び寄せる。実際、オープンＡＩなどＡＩ開発トップ企業と比較してサカナＡＩに入社したエンジニアもいる。

企業名の「サカナ」は、集団で知的に行動する魚に由来し、生物に着想を得た新しいモデルの開発を進める。その第一弾が、2024年3月に発表した「進化的モデルマージ」と呼ばれる手法だ。

モデルマージとは、複数の「親」となるＬＬＭを組み合わせて「子」となるＬＬＭを見いだす方法を指す。今度はその性能を評価し、優秀な子を融合して「孫」をつくる。同社の手法は、この融合を自動的に繰り返して高性能なＬＬＭをつくり出せるという。

例えば同社は進化的モデルマージを使って、「日本語のＬＬＭ」と「数学に特化した英語のＬＬＭ」を融合することで「日本語で数学の問題を解けるＬＬＭ」を開発した。通常のＬＬＭ開発と異なり大量のデータを使ったトレーニングは不要で、開発に必要となる計算リソースは従来のＬＬＭ開発を比較すると無視できるレベルだという。ＬＬＭの開発を短期間・

低コストで行う道を開く新しい手法となる可能性がある。

AIモデル、日本企業の勝ち筋

これまで見てきたように、経済安全保障や日本語処理性能などの観点で日の丸LLMの開発が国内で進む。では、AIモデルにおける日本企業の勝ち筋はどこにあるのか。イライザCEOの曽根岡氏は、国産LLMを開発する2つの意義やメリットを説明する。

1つは「処理の効率性」だ。「ある言語に特化したモデルを開発したほうが、一般的に効率は上がる」(曽根岡氏)。例えばオープンAIのGPTなどのLLMを例に取ってみよう。LLMが「Hello, I am a student.」という文章を生成したとする。処理の過程で、GPTは「Hello」「,」「I」「am」……という7つの塊で単語を生成している。この塊を「トークン」という。

ところが日本語で同じ意味に当たる「こんにちは。私は学生です。」の場合は「こ」「ん」「に」「ち」「は」……という13の塊で生成する。LLMが言語を生成するには、パラメーター数が1000億なら1000億回の掛け算と関数処理をして1つのトークンを生み出す。トークン数が倍になれば倍の処理が必要なため、トークン数が多い日本語は極めて不利なわけだ。

「我々が取り組んでいるのは『こんにちは』を1つのトークンにする方法だ。処理が少なければ計算リソースが少なくて済む。言語に特化することで、同じ性能でコストが安いという効率の良いモデルを開発できる」と曽根岡氏は言う。ローカライズしたほうが、同じパラメーター数でも運用にかかるコストが安くなる計算だ。日本勢が取り組むべき付加価値だろう。

もう1つは「日本語での知識の補強」だ。「グローバルでトップのモデルでも、日本特有の情報に抜けている部分が多く残っている。米国では正しいが日本では間違っているという回答をする例も多い」（曽根岡氏）。

この指摘は、文章生成だけでなく、画像・映像生成でも当てはまる。建物の形などの街並みも植生も、文化や気候などを反映して国によって異なる。例えば一般的な画像生成モデルに「郵便ポスト」の画像を生成するように日本語で指示しても、米国で一般的な前開きの郵便ポストが生成されることが多い。日本に特化したモデルを開発すれば、日本のユーザーが生成したい画像を生み出す近道になるだろう。

もう1歩先を読めば、こうした「ある言語に特化したモデル」を高精度に開発できる技術にはビジネスチャンスもある。先ほど提示したトークンの話に戻せば、英語のほうが日本語の倍程度の効率を持っていた。より少数話者の言語では、英語の3分の1程度の効率しかないケースもあるとされる。言語特化モデルの開発技術を輸出できれば、日本語というハンデを持った国内勢の技術は、英語圏のＡＩモデル開発企業が持たない強烈な武器になるはずだ。ただし、「日本語特化モデル」は日本企業の専売特許ではない。オープンＡＩは２０２４年４月、東京に新オフィスを開設して活動を開始したと発表した。海外拠点はロンドン、ダブリンに続く３つめで、アジアでは初となる。日本市場向けに、ＧＰＴ-４をカスタマイズしたＡＩモデルの投入も明らかにした。記者会見で同社のブラッド・ライトキャップＣＯＯは「ＧＰＴ-４より速く、日本語に特化したものだ。まず日本語の文字を読み取る能力を向上させる。さらに日本の言語、文化、コミュニケーションのニュアンスを学習させていきたい。モデルはスケールアップできればうまくいく」と説明した。

オープンＡＩだけでなく、他の最先端モデルを提供するプレーヤーが日本語を含む言語特化モデルを提供することで、英語圏以外の市場を開拓する可能性も十分にある。日の丸ＬＬＭは日本企業ならではの付加価値をより求められる時代になりそうだ。

カンブリア爆発後の未来

古生代カンブリア紀と後に呼ばれる時代に、今日見られる動物の形態的な特徴（ボディープラン）のほぼ全てが突如として出そろったといわれる。生物の種類や数がこの時期に爆発的に増えたことから、この現象を「カンブリア爆発」と言う。現れたのは奇天烈な形をした生き物でバージェスモンスターと呼ばれ、地球上が1つの大きな実験場だった。

まさに今、生成ＡＩモデルはカンブリア爆発を迎えている。では、カンブリアの海を泳ぎ生き残るのは誰か。

複数の専門家は数社による「寡占」を予想する。パラメーター数などを競う「規模の競争」は計算リソース、すなわち資本を要求することから、米ビッグテックの優位性は変わらないだろう。マイクロソフトの支援を受けるオープンＡＩとアマゾンが支援するアンソロピック、そしてグーグルという三つどもえが今後も続くと予想される。2024年後半以降も、3社は世界最高性能の覇権争いを繰り広げるはずだ。それを何と呼ぶかは別にして、競争の先に「ＡＧＩ（汎用人工知能）」の世界線が広がる。メタの高性能なオープンソースモデルもこの競争に加わりそうだ。

一方で、企業がビジネスとして利用するＡＩの全てが世界最高モデルにはなりそうにない。モデルが巨大になればなるほど計算リソースが必要となり、そのランニングコストは増すからだ。企業が生成ＡＩをサービスとして成立させるためには、対処すべきタスクに見合ったモデルを見極める必要がある。ＡＷＳでＡＩとデータを統括するスワミ・シヴァスブラマニアン副社長は「企業が利用するＬＬＭは画一的にはならない」と主張する。１つの秀でたモデルに全てを任せるのではなく、タスクに応じて使い分ける手法が徐々に広がっているとの見方だ。性能とコストのバランスを見極めながら、複数モデルを「適材適所」で配置する企業が増えるに違いない。

こうした企業用途を考えると、「専用モデル」にも生き残る道がある。イライザの曽根岡ＣＥＯは「言語や業界、用途に特化したモデルもある程度の数が必要だろう」と読む。巨大な汎用モデルと、コストパフォーマンスの良い専用モデルが共存するという未来だ。イライザが挑む日本語性能の高いモデルなどが含まれる。ＮＴＴやＮＥＣなどが進める「小さいＬＬＭ」もこのカテゴリーに入りそうだ。コストパフォーマンスへの特化が企業利用を後押しする材料になる。

しかし、こうした専用モデルをオープンＡＩやグーグルなどが提供する未来も十分にあり得る。現時点でもグーグルなどはＡＩの用途などに応じた「モデルファミリー」を提供しており、マイクロソフトも「Ｐｈｉ‐３」などの「スモール・ランゲージ・モデル（ＳＬＭ）」と呼ぶ小さなモデルを開発している。

サカナＡＩの伊藤ＣＯＯは「将来は上位10社が生き残る市場になる」と読む。オープンＡＩなどの最高性能を持つ数社と、それぞれの特徴を持つ残り数社による寡占だ。「だからこそ、まずは性能で世界トップ10に入る必要がある。その上で、他のモデルにはない特徴が重要になるだろう」（伊藤氏）。サカナＡＩの場合、米国企業でも中国企業でもないという地政学的な立ち位置や、前述の「進化的モデルマージ」などの技術的特徴がそれに当たるという。

ＡＩモデルには、「スイッチングコスト」が極めて低いという特徴がある。このコストは、利用しているサービスから別のサービスに切り替える（スイッチする）際に負担する金銭的・物理的コストを指す。高ければ切り替えは容易でないし、安ければすぐに切り替えられる。ＡＩモデルの場合、プログラムコードの一部を書き換えればすぐに切り替えることが可能で、イライザの曽根岡ＣＥＯは「メールの送信先を変えるくらい簡単なもの」と表現する。

オープンＡＩなど一部の開発企業がトップを走っているのは事実である。しかしＡＩモデルは盛者必衰の理で回っていることを忘れてはならないだろう。例えばアップルは、ＡＩモデルについて沈黙を貫いている。グーグルやオープンＡＩなどとの対話を進めているとの報道もあるが、独自モデルを打ち出す可能性もある。高い性能を持つモデルが現れれば、一気にその他のモデルはスイッチされてしまう。勝者はすぐに入れ替わる。乱世がゆえに、その情勢にしばらく目を凝らす必要があるだろう。

第 2 章
AI半導体

一人勝ち
エヌビディア解剖、
GPUの死角

[本章に登場する主なプレーヤー]

NVIDIA(エヌビディア)、Google(グーグル)、Amazon.com(アマゾン・ドット・コム)、Amazon Web Services(アマゾン・ウェブ・サービス、AWS)、台湾・積体電路製造(TSMC)、Microsoft(マイクロソフト)、英Arm(アーム)、Meta(メタ)、AMD、Super Micro Computer(スーパー・マイクロ・コンピューター)、Dell Technologies(デル・テクノロジーズ)、台湾・広達電脳(クアンタ)、Banana(バナナ)、Databricks(データブリックス)、Cisco Systems(シスコシステムズ)、Intel(インテル)、d-Matrix(dマトリックス)、Etched.ai(エッチドAI)、Groq(グロック)、Rain AI(レインAI)、SiMa.ai(シマAI)、SambaNova Systems(サンバノバシステムズ)、IBM、東京エレクトロン、ディスコ、TOWA、ラピダス

※特記以外は米国・日本企業

[キーワード解説]

■GPU（画像処理半導体）

3次元の画像などを描写する際に必要な計算処理を担う半導体。データを大量かつ同時に処理できる「並列処理能力」に優れ、AIの学習や推論に向くことから、生成AIブームで需給が逼迫した。米NVIDIAが世界市場の8割を持つ。

■AI半導体

AIモデルの計算処理に最適化された半導体の総称で、GPUを含む概念。AIの処理を高速化することからAIアクセラレーターとも呼ばれる。米巨大テック企業のGoogleやAmazon.com、Microsoftなどが自社用に独自開発する動きもある。これらの企業は工場を持たない「ファブレス」企業で、製造は台湾積体電路製造（TSMC）などに委託している。

■ファウンドリー

半導体チップの製造を他社からの委託で請け負う製造専業の半導体メーカー。チップの生産には機能・性能を企画する「設計」と、設計に基づいて回路のパターンを基板に形成する「製造」からなり、後者のみを請け負う。近年、半導体産業は分業化が進み、ファウンドリーが台頭した。代表格はTSMC。

■AIサーバー

AIの学習や推論のための高性能なサーバーを指し、一般的にはGPUなどAI半導体を搭載したもの。GPUを搭載したサーバーをGPUサーバーと呼ぶ。サーバーメーカーが半導体メーカーからチップを仕入れて組み立て、ユーザーのデータセンターに納入する場合と、ユーザーがチップを自前で仕入れて、サーバーメーカーが組み立てだけを手掛けるという2通りの商習慣がある。

■GPUリセーラー

規模の比較的小さいクラウドプロバイダーなどからGPUサーバーをレンタルし、AI開発用のソフトウエアなどを組み合わせてAIモデル開発企業に対して割安な料金で提供する事業者。自前でサーバーを持たないことからサーバーレスGPUプロバイダーとも呼ばれる。

■回路線幅

半導体チップに描かれる電子回路の幅。プロセスとも呼ぶ。線幅が狭くなるほどより多くの回路をチップ上に集積することができ、半導体の性能が向上する。これを「微細化」と呼ぶ。微細化には高度な技術と精密な設備が必要。世界最先端は3nm（ナノは10億分の1）だが、日本のロジック半導体の量産能力は40nmで停滞している。

目下、生成AI（人工知能）で一人勝ちを続ける米半導体大手のエヌビディア（NVIDIA）。なぜ同社のGPU（画像処理半導体）に圧倒的な需要があるのか。実はその快進撃は2010年の1本のメールから始まっていた。ハードウエアだけでは解けないGPUの強さを徹底解剖しながら、その死角をあぶり出す。米巨大テック企業「GAFAM」がそろって半導体メーカーとなり、GPU争奪戦が企業の生死を分ける時代。勝機はどこにあるのか。

謎のAI半導体メーカー

「今までいろんなジャーナリストを見てきたけど、密着取材を受けるのは君が初めてだよ」。2017年4月、米シリコンバレーの本社でエヌビディアのジェンスン・ファンCEO（最高経営責任者）は筆者と向かい合うなり、こう切り出した。

「さあ、何の話から始めようか」

少なくとも2010年代前半まで、エヌビディアはゲーム用半導体メーカーの1社に過ぎなかった。当時の売上高は半導体メーカーの中で世界ランキング10位以下。それがものの数年で自動車の自動運転ブームを背景に「ＡＩ半導体の雄」として台風の目になり、そして２０２３年には生成ＡＩによる半導体特需を背景に、時価総額は約２・２兆ドル（３３０兆円）で世界3位へと躍進した。２０１７年の密着取材当時、筆者はエヌビディアを「謎のＡＩ半導体メーカー」と呼んだが、今や誰もが知る存在になった。当時と比べて売上高は10倍以上、株価は実に20倍以上に成長した。まさに生成ＡＩ時代における勝者の筆頭である。

ＡＩ半導体とは、機械学習や深層学習の計算を効率的に処理するためのチップを指す。様々な種類のＡＩ半導体がある中で、現状ではエヌビディア製のＧＰＵ（画像処理半導体）が最も適しているとされる。生成ＡＩの基盤技術である大規模言語モデル（ＬＬＭ）などの学習には膨大な計算処理が必要で、２０２３年にはＧＰＵ争奪戦が勃発した。本章では、莫大なニーズが顕在化したＡＩ半導体の勢力図を描いていく。まずはエヌビディアの実力とその源泉を解剖しよう。

2010年の「1本のメール」

それは、2010年の1本のメールから始まった。

「大学の最先端の研究では、ディープラーニング用のコンピューターにGPUが使われ始めている」

差出人はキンバリー・パウエル氏。現在はエヌビディアのヘルスケア部門で副社長を務める。2010年当時、エヌビディアで各大学とのパートナーシップ構築を担当していたパウエル氏は、同社のファンCEOに1本のリポートをメールで送付した。「ある〝兆し〟が見えたんです。大学とのパートナーシップが重要なのは、5年後、10年後に何が台頭するかが見えてくるからでしょう」。パウエル氏はこう振り返る。

エヌビディアでは、一社員がCEOに直接メールを送ることは珍しいことではない。2010年当時の社員は1万人程度。社員が意見を直接CEOに届け、原則としてその全てにファンCEOは目を通していた。

大量のメールにざっと目を通した時、パウエル氏のメールが目に留まった。パウエル氏が「兆し」と表現した変化に、ファンCEOも注目したのだ。ちょうどその頃、AIの研究論文を執筆するための実験にGPUが採用され始めていた。パウエル氏のメールは、AIの学習とGPUの相性の良さを論理的に示していたわけではない。ただ研究者がGPUを使い始めているという現象に、ファンCEOは直感的に反応した。インタビューでファンCEOはこう振り返っていた。

後から考えると、これは必然だと分かりました。私たち人間の頭脳は世界一の並列コンピューターなんです。見て、聞いて、匂いを嗅いで、考えて……ということを同時にできる。しかも、異なる考えを頭の中で同時進行させることができる。

一方で、GPUはコンピューターグラフィックスのために生まれました。世界で最も並列演算が得意な半導体です。

ここで、人間の思考というものを考えてみましょう。思考すると、人間は心の中にイメージを作ります。「メンタルイメージ」という言葉がそれを表しているでしょう。「赤のフェラーリ」を想像する時、頭の中でそのイメージを作っているわけですから。つまり、思考している時、我々は脳の中でグラフィックを描いているとも言える。そう考えると、思考というのはコンピューターグラフィックスと似ていると考えることができます。

CPU1000台 vs. GPU3台

GPUはエヌビディアが世界シェア8～9割を持つ半導体であり、圧倒的な強みを持つ。それは同時に複数の計算をこなす「並列演算」がずば抜けて得意なことだ。

パソコンに必ず搭載されているCPU（中央演算処理装置）は「A」という計算の後に「B」という計算をする「逐次演算」に向く。演算装置という点では同じだが、例えるならば、GPUは数千人が同時に計算をする研究所であり、CPUは1人の天才の頭脳のようなものだ。

キンバリー氏のメールから2年後の2012年、米グーグル（Google）は「ネコを認識するAIを開発した」と発表。1000万枚もの画像を学習させたことで、AIは初めて「ネコという概念」を獲得したのだ。ただし、この時グーグルは、CPUをベースにしたサーバーを1000台使っていた。

ところが2013年6月、米スタンフォード大学人工知能研究所がエヌビディアと共同で、GPUを使ったたった3台のサーバーで、グーグルの6・5倍の規模を持つAIのネットワークを構築。それが一気に注目を集めた。その後、グーグルもGPUを採用するようになる。

このプロジェクトで、AIにおいてGPUは必須の存在になっていく。

ＡＩにはこれまで3度のブームがあった。

１回目は１９５０年代後半〜60年代。１９５６年に開かれた研究発表会である「ダートマス会議」で、初めて「人工知能（Artificial Intelligence）」という言葉が使われた。当時のＡＩの手法は、「推論と探索」という言葉で説明される。大まかに言えば、ゴールが決まっている複雑な迷路をより早く解けるような手法だ。パズルやチェスなどで効果を発揮したが、「ゴールがない」課題には対応が難しく、現実世界で爆発的にＡＩが広がることはなかった。

１９８０年代の限界

2回目は１９８０年代。「エキスパートシステム」と呼ばれる手法が注目を集めた。文字通り、専門家（エキスパート）の知識をＡＩに学ばせ、ＡならばＢ、ＢならばＣという論理をたたき込む。感染症の診断で経験の浅い医師よりも診断精度が高くなったとの結果が出たこともあり、2次ブームは企業を巻き込んで一気に加速した。

日本でも、通商産業省（現在の経済産業省）が１９８2年に「第五世代コンピュータプロジェクト」を開始。５００億円以上をつぎ込んで次世代コンピューターの開発を進めた。第一世代は真空管、第二世代はトランジスタ、第三世代はIC（集積回路）、第四世代はLSI（大規模集積回路）で、第五世代がAIを指す。

しかし、この手法も限界が露呈する。AIが正しい判断をするためには、専門家の知識全てをAIに移植する必要があったからだ。知識を教え込もうとすると、その知識そのものに矛盾があったり、「正しさ」をどう担保するかが問題になったりした。その全てをAIに教えることが難しいことが徐々に明らかになり、結局2回目のブームも終焉《しゅうえん》を迎えることになった。

1次、2次のブームに共通していたのは、AIが決められたルールの限られた枠組み（フレーム）の中でしか機能しなかったこと。これを「フレーム問題」と呼ぶ。

3次ブームが始まったのは2000年代、このフレーム問題を解決する方法が現れたことで勃興した。その糸口がディープラーニングだった。

2次ブームまでと全く違うのは、答えを導くプログラムを人間が書かないこと。ただし、答えの糸口がなければAIがゴールにたどり着くことはない。そこで、「A」という情報が入った時の答えは「X」、「B」という情報では「Y」というデータを大量に与える。すると、AIが勝手に学習して「モデル」をつくり上げていく。これを、機械が自ら学習するので「機械学習」と呼ぶ。

ディープラーニングは、この機械学習の一つ。「ディープ＝深層」と呼ばれるのは、入力した情報から答えを見つけるまでに、何層もの段階を踏むからだ。

例えば、ネコの画像を与えた時に、1層目で画像中の物体の外形線を認識し、2層目で耳や鼻といったモノを、3層目で顔全体を……といった具合に、層が深くなるごとに「正解」にたどり着いていく。人間の神経回路を模して層同士を有機的に結びつけているため、この技術を「ニューラルネットワーク」と呼ぶ。何層ものニューラルネットワークを持つのが、ディープラーニングの特徴だ。

しかし、この仕組みを実用化する際に、2つの大きな課題があった。それが、「高性能なコンピューター」と、正確にたどり着くまでモデルを学習させるための「大量のデータ」だった。ディープラーニングでは階層が増えれば増えるほど精度は高まる。一方で、演算回数が飛躍的に増えるため、それだけコンピューターの計算能力が必要になる。この処理にGPUが向くことが分かったのだ。ファンCEOはこう語った。

我々はそこで深く考えました。このディープラーニングという手法は、単に新しいアルゴリズムではない。ソフトウエアの開発を革命的に変え得るものであると。全く新しいコンピューターへのアプローチなのだと。過去50年間で全く解決できなかった多くの問題を解決できるものだと。

興奮しましたよ。この事実に気付いた時は。そこから、全社でディープラーニングを追求する方向に動いたわけです。エンジニアたちに「全員がディープラーニングを学んでくれ」と伝えました。すぐに大勢のエンジニアが私の声掛けに賛同してくれました。最初は数十人でチームをつくりましたが、半年後には数百人になりました。そして1年後には、数千人のチームになりました。そして発見から5年ほどたった今（2017年当時）、エヌビディアは全員がAI関連の仕事をしています。

米国のグーグルやフェイスブック（Facebook、現在のメタ）、マイクロソフト（Microsoft）、アマゾン・ドット・コム（Amazon.com）などのIT大手は、2013年以降、一気にAIの導入を加速させた。彼らはGPUを用いたディープラーニングと相性の良いコンピューターを入手し、かつそれぞれが持つビッグデータによってAIを実用化していった。ただし、GPUが各社に浸透していった理由はハードウエアとしての性能の高さだけではない。

エヌビディアが「灯台」と呼ぶ顧客

１つは、エヌビディアがＧＰＵの計算処理能力を最大化する開発環境を丸ごと用意したこと。「ＣＵＤＡ（クーダ）」と呼ぶＧＰＵ向けのプログラム開発環境がその最たる例だ。

２００６年に開発されたＣＵＤＡは、開発者がすぐにＧＰＵを使ったアプリケーションを開発できるようにする部品集だと考えると分かりやすい。

このＣＵＤＡによって、ＧＰＵはグラフィック分野だけでなく、汎用計算でもさかんに使用されるようになった。ハードウエアからソフトウエアまでを手掛けるのが、エヌビディア最大の強みと言える。ＡＩビジネスに本格的に取り組むずっと前から、同社のＧＰＵは汎用化されていたわけだ。その利用環境の広さが、ＡＩ用としても採用が拡大する原動力になった。

もう１つは、エヌビディアの営業戦略の巧みさだ。２０１７年に国際営業を統括していたジェイ・プーリ取締役（２０２４年時点でも同職）はその戦略を「エコシステムの構築」と呼んでいた。市場を自らつくり出すという考え方だ。

「我々には『灯台型』と呼んでいる顧客がいます」。プーリ氏は筆者の取材で、ゆっくりとこう語り始めた。

「それは、先進的なパートナーです。彼らがまず我々の製品に興味を示してくれる。ただ、製品や技術を売るだけでは不足している。問題解決の手法まで含めて提案する。パートナーがそれを形にしてくれる。それが、2件、3件と増えてくると、(灯台に照らされるように)市場が立ち上がっていくのです」

「我々は高性能なスーパーコンピューターの分野でエコシステムを構築していて、トップレベルの研究者たちがすでに我々の提供しているプラットフォームに親しみを持っていたし、協力してくれていた。そのエコシステムにAIを〝倍掛け〟した。重ねて投資したということです」

プーリ氏の言う灯台型の企業とは、IT企業で言えばグーグルやメタなどいち早くディープ

米カリフォルニア州サンタクララにあるエヌビディアの本社

ラーニングに取り組んだ企業を指す。彼らの成功が、市場そのものをつくっていくという考え方だ。

加えてエヌビディアは研究者支援も同時に進めた。「AIラボ」と呼ぶプログラムを設け、世界中のAI研究者を支援することを決定。米国のスタンフォード大学やカリフォルニア大学、ハーバード大学、英国のオックスフォード大学、東京大学など世界中の大学を支援していった。この支援プログラムの中で研究者たちはAI研究のためにCUDAを学び、GPUを利用した。卒業生は企業に入った後もCUDAでプログラムコードを作成する。このサイクルがCUDAとGPUを強固なものにしていったわけだ。

GPUというハードウエアとCUDAをはじめとするソフトウエア、そしてそれを取り巻くエコシステムの構築。こうした戦略が「AI半導体の事実上の標準」をつくり上げていった。

AIのため犠牲にしたもの

ディープラーニングを千載一遇のチャンスと捉えたファンCEOは経営資源の多くを一気にAI関連ビジネスに振り向けた。一方で、それによって同社は多大な「犠牲」を払ったと当時のファンCEOが明かしている。

企業として投資できる総額には限界がありますから、AIへの投資を増やせば既存事業が手薄になる。また、別の新規事業としてフォーカスしていたものを緩める必要も出てきます。他のチャンスは諦めたということです。例えば、我々はスマートフォン向けのビジネスをもっと追求できた。あるいは、ゲーム機とタブレットを自社で開発するチャンスもあった。でも、それらからは一歩引きました。多くのビジネスチャンスを失いました。けれど、その犠牲によってAIにフォーカスできた。

業績も犠牲にしました。短期的なチャンスを失いましたからね。ただ、業績で苦労するのはせいぜい数年だと予測していました。それに対し、AIがもたらす恩恵はすさまじい。一生に一度のチャンスですよ。絶対にフォーカスしなければならないと思いました。

筆者がエヌビディアを密着取材した2017年、GPUは自動運転向けの半導体として注目を集めており、トヨタ自動車など大手が次々にエヌビディアと提携。さらに2010年代終わりには仮想通貨のマイニングでもGPUが利用されていることから、そのニーズはさらに強まった。しかし、2021年ごろに仮想通貨の大暴落が始まる。それと呼応するように、エヌビディアの株価も2021年秋にピークをつけた後、2022年は下落を続けることとなった。

勃発する半導体争奪戦

状況が一変したのは2023年初頭だった。ChatGPTをはじめとする空前の生成AIブームで、GPUの逼迫が始まった。

「AIに関わる全ての企業がプレッシャーにさらされている」。イスラエルのAIスタートアップ、AI21ラボ（AI21 Labs）のオリ・ゴシェンCEOは真剣な表情で、2023年に始まったGPU不足をこう説明した。同社は高性能な生成AI技術を保有し、ChatGPTの開発企業である米オープンAI（OpenAI）のライバルと目される注目企業だ。「AIを開発し続けるために、誰もがGPUを必要としている」と逼迫感を口にする。

前例のない需要がある――。エヌビディア幹部は生成AIが要求するGPUニーズをこう説明する。ブームで一気に需給バランスが崩れ、GPU不足が顕在化。半導体争奪戦が勃発した。同社は「増産に向けて懸命に努力している」と言うが2024年時点でも供給は追いついていない。

米国に端を発した空前の生成ＡＩブーム。ＣｈａｔＧＰＴが世界的に流行する一方、グーグルなども矢継ぎ早にＡＩ関連技術を投入し、巻き返しを狙う。シリコンバレーでは「生成ＡＩなしに投資家は動かない」（米ベンチャーキャピタル幹部）と言われるほどテック業界の話題の中心になった。

その生命線が、エヌビディアが独占的なシェアを握るＧＰＵであることに変わりはない。英オムディア（Ｏｍｄｉａ）が２０２１年８月に発表した推計では、世界のクラウド・データセンター向けＡＩプロセッサー市場でエヌビディアは80・６％のシェアを占める（売上高ベース）。生成ＡＩブームが到来した２０２４年も「ＡＩ向けではシェアはほぼ変わっていないだろう」と米半導体メーカー関係者はみる。

なぜＧＰＵが足りないのか。第１章で描いたように、生成ＡＩのコア技術である大規模言語モデル（ＬＬＭ）は、パラメーター数や学習するデータ量などが増えれば増えるほど性能が向上する「スケーリング則」に従う。各社は優れたＡＩを開発するためより多くのデータを使った学習にしのぎを削る。

結果、モデルの大きさは指数関数的に拡大。例えばオープンＡＩが２０１９年に発表したＬＬＭ「ＧＰＴ-２」のパラメーター数が15億だったのに対し、２０２０年発表の「ＧＰＴ-３」

は1750億に急増。最新の「GPT-4」は1兆を超えるとも伝えられている。

機械学習の大量の計算には、並列演算が得意なGPUが向く。オープンAIがChatGPTのトレーニングに1万基のGPUを使用するなど、AIプロセッサーとしてのデファクトスタンダードとなっている。生成AIブームで一気に需給バランスが崩れ、2023年春ごろからGPUの不足感が顕在化しはじめたわけだ。

特に枯渇しているのが、AIに最適化した高性能GPU「H100 Tensor コア GPU（以下、H100）」だ。H100のカタログ価格は500万～600万円程度。一部では1・5倍の価格で取引されているとの情報もある。

H100の発表は2022年3月。まだChatGPTが発表される前だが、GPT-3などで使われている機械学習のアーキテクチャーであるトランスフォーマーへの最適化が図られた。前世代と比較してトランスフォーマーの演算処理が最大で6倍高速になったという。

米国では大手クラウドベンダーなどの大口顧客のほか、LLMを開発するスタートアップなどによる争奪戦に発展している。日本でも「サーバーにH100を搭載した」という事実が報道発表されるほどニーズが高まっていると言える。

AI開発企業や利用企業の多くは、自社でGPUをサーバーに導入するのではなく、アマゾン・ウェブ・サービス（Amazon Web Services、AWS）などのクラウドサービスを経由して、オンデマンドでＧＰＵサーバーを使用する。

クラウドサービスでＧＰＵサーバーを使用する場合、管理画面でインスタンスを選ぼうとすると、使えるサーバーがない場合は「待ち状態」になる。「一般的には、いつサーバーが空くかはユーザーの管理画面上からは分からない。定期的に管理画面で確認してもらうしかない」。大手クラウドベンダーの担当者はこう説明する。

大手クラウドサービスを使ってＨ１００を使用する米ＩＴ大手のエンジニアは、頻繁に発生する待ち状態に諦め顔。「２０２３年秋ごろは、ひどい時には使いたかったサーバー数の10分の１

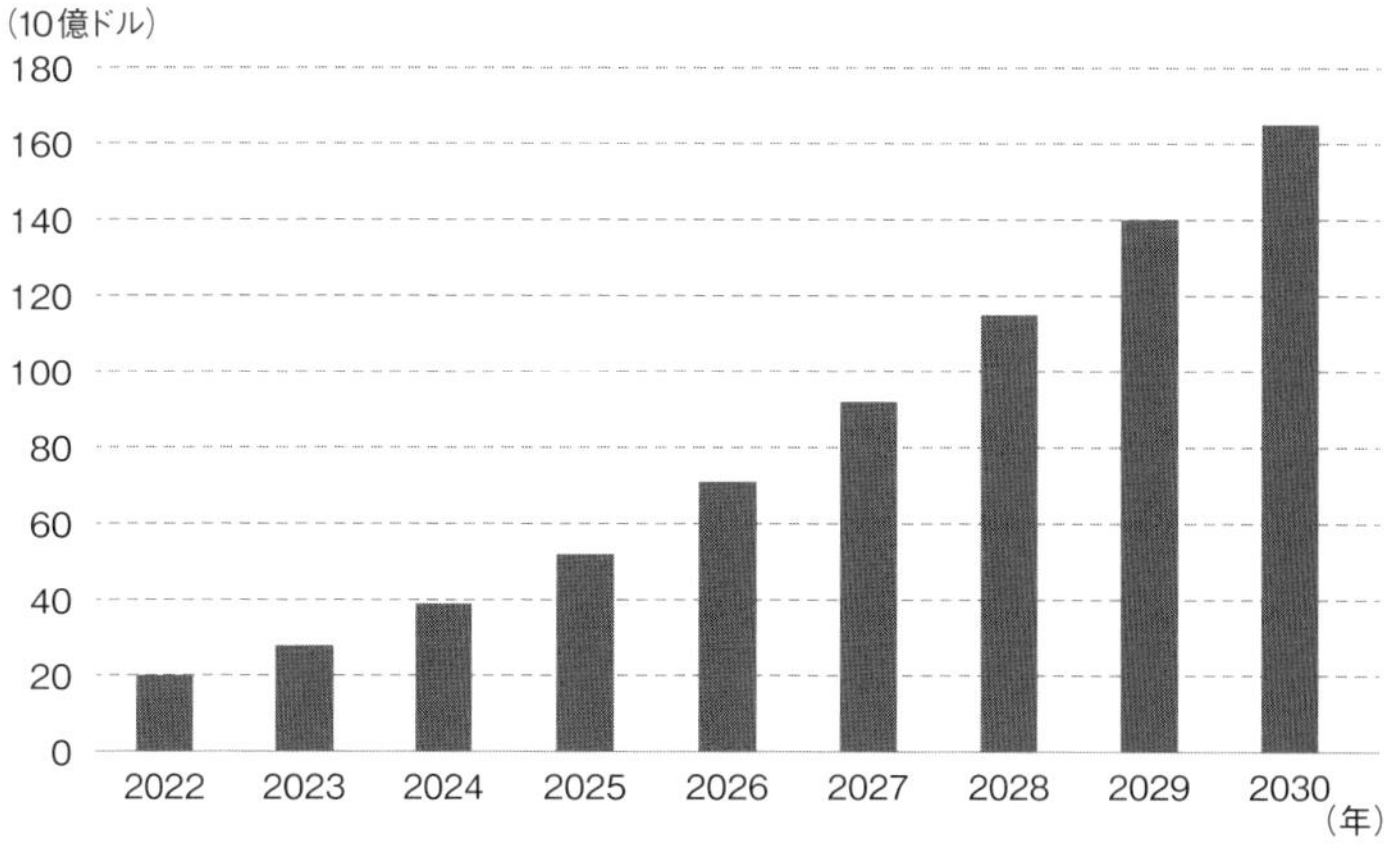

AI向け半導体の市場規模予測。ChatGPTの大流行などでAI向け半導体は年々伸び続ける見込みだ
(出所：独スタティスタ)

程度しか使用できない状態だった」と振り返る。

独調査会社のスタティスタ（Ｓｔａｔｉｓｔａ）は、ＡＩ向け半導体の市場規模が30年に2022年比で8倍の1650億ドル（約24兆7500億円）に拡大すると予測。主要半導体メーカーでつくる世界半導体市場統計（ＷＳＴＳ）による2024年の半導体全体の市場見通しが約5759億ドルであることを考えると、ＡＩ向けの存在感が急激に増すことが分かる。生成ＡＩによって需要は急変している。

エヌビディアは目下、快進撃を続ける。2023年11月～2024年1月期決算は、ＡＩ向け半導体特需に支えられて純利益が前年同期比で8・7倍、売上高が同3・7倍に急増。2024年1月期通期の売上高は9兆円を超え、半導体メーカーで初めて世界首位に立った。同社はＧＰＵの受注量を開示していないが、ＡＩ向け半導体などを担当するデイヴ・サルヴァトール ディレクターは「前例のないレベルの需要だ」と言い表す。「我々は非常にアグレッシブな事業目標を達成し、事業全体が（現在も）好調を維持している」（サルヴァトール氏）。

グーグルやアマゾン・ドット・コムがＡＩ向けの独自半導体を実用化する中でも、エヌビディア製ＧＰＵへの需要は衰えていない。米大手ＩＴ企業の半導体エンジニアはその理由を、「ソフトウエアを含めた開発フレームワークが充実しているからだ」と見る。

例えば、エヌビディアはＡＩ開発向けソフトウエア群「エヌビディア ＡＩ エンタープライズ」を提供する。深層学習（ディープラーニング）向けのデータ準備や学習、推論などに最適化したツールやデータ分析用のアプリケーションなど、4000を超えるソフトウエアから成るサービスだ。

特に生成AIモデルを構築、カスタマイズできるフレームワーク「ニーモ（NeMo）」は開発者からの需要が大きい。GPUの利用を前提とした分散トレーニングの最適化など、「GPUメーカー」としての優位性をソフトウエアに応用し、競争力の高いフレームワークを構築している。

前述したクーダなどのプラットフォームに加えて、ニーモなどAI向けに特化したフレームワークも多数用意。加えて、大学など研究機関への支援がGPUのスイッチングコストを限りなく高めた。ファンCEOの戦略がGPUをAI半導体で唯一無二のものとしたわけだ。「10年以上前から、ハードウエア以外にも投資してエコシステムをつくり上げてきた。その姿勢は尊敬に値する」。グーグルでインフラストラクチャーを担当するエンジニアはエヌビディアの戦略に舌を巻く。

「我々はAI工場になる」

2万人弱を収容する屋内競技場の真ん中に、巨大なステージとスクリーン。無数のライトで照らした光の演出は、まるで人気アーティストのコンサートのようだった。2024年3月、エヌビディアはプロアイスホッケーチームが本拠地として利用するシリコンバレーのアリーナで年次開発者会議「GTC」を開いた。新型コロナウイルス禍を挟んで5年ぶりのリアル開催。世界中のエンジニアがAIで一人勝ちの状況を続けるエヌビディアの「次の一手」を見ようと集まった。「これはAIのウッドストックだ」。米バンク・オブ・アメリカのアナリストはGTCを、40万人の観客を集めて米国音楽史に残る伝説的イベントになぞらえた。

「今日はコンサートではないことをご理解いただきたい。あなた方は開発者会議に来たのです」。トレードマークの革ジャンを着たファンCEOが舞台に上がってこう切り出すと、1万人以上が詰めかけた会場から笑いと大きな拍手が起こった。

最大の見せ場だったのは、全ての参加者が期待したであろう「次世代GPU」の発表だった。ファンCEOは新しいアーキテクチャーである「ブラックウェル（Blackwell）」

と新製品「B200」を発表。現行のアーキテクチャー「ホッパー（Hopper）」を使った最新GPU「H100」の後継となる。2024年内にも市場投入する予定だ。

B200は当然、生成AIでの用途を見込んでいる。GPT-4の1・8兆パラメーターモデルの場合、ホッパーでは8000基のGPUを使って15メガワットの消費電力で90日が必要だった。ブラックウェルでは同じ時間を使う場合、2000基のGPUと4メガワットの電力で済むという。

2基のB200と1基のCPUを一体で提供する「GB200」も紹介した。GB200とH100の比較では、AIの学習性能が4倍、推論性能は30倍に向上する。「性能は8年で1000倍になった」。ファンCEOは2016年に発表した「パスカル（Pascal）」と比較したブラックウェルの性能をこう述べた。

ハードウエアに加えて、AI向けソフトウエアも拡充した。生成AIアプリケーションを開発するためのサービス群である「NIM」を発表。ソフトウエア開発者はNIMを利用することで生成AIアプリの展開を「数週間から数分に短縮できる」としている。

NIMは、生成AIの推論に必要となる各種ソフトウエアがインストール済みの様々なサービスを提供する仕組み。エヌビディアが開発した推論ワークフローを最適化するフレームワークやツールキットなどが組み込まれ、エヌビディアやパートナー企業が提供する20

以上のＡＩモデルに最適化されている。各ＡＩモデルの機能は生成ＡＩアプリからＡＰＩ（アプリケーション・プログラミング・インターフェース）経由で利用できるように設定されている。エヌビディアが用意したマイクロサービスを利用することで、ユーザー企業は各種ソフトの導入や最適化、検証に要する時間を節約できる。ファンＣＥＯは「ＡＩモデルは画期的だが、企業が使うのは難しい。推論は並外れて難しい問題で、必要なスタックを計算し最適化する必要があるからだ」とし、ＮＩＭについて「ソフトウエアを使った新しい方法を発明した」と語った。

ＧＴＣで独走状態を見せつけたエヌビディア。ただしＢ２００は早くても年内投入であり、かつＧＰＵ供給力はサプライチェーン上の課題もあってすぐに増強できそうにない。

同社は工場を持たないファブレス企業で、自社設計した半導体の製造を台湾積体電路製造（ＴＳＭＣ）などに委託する。「需要が大幅に上回っている製品の生産拡大に懸命に取り組んでいる」（サルヴァトール氏）が、その供給は２０２４年春になっても追いついていない。

ボトルネックになっているのは、損傷や腐食を防ぐために半導体チップを専用ケースに封入する「パッケージング工程」だ。半導体製造における最終工程となる。

Ｈ１００などの高性能ＧＰＵには、ＴＳＭＣの「ＣｏＷｏＳ（Chip on Wafer on Substrate）」と呼ばれる高度な独自パッケージング技術が必要になる。チップと周囲のメモリーのレイアウトに関わるもので、TSMCは高い技術力を持つ。

それでもサルヴァトール氏はこの工程に「課題があるのは事実だ」と認めた上で「我々の製造パートナーであるTSMCにとって、性能向上を支援するさらなる技術革新が求められている分野だろう」と述べた。

GPU需要の高まりはしばらく収まりそうにない。楽天証券経済研究所の今中能夫チーフアナリストは「GTCでエヌビディアの大手顧客であるクラウドプロバイダーからの強い需要が明らかになった。B200の生産能力が多くなれば電力消費の観点からH100の更新需要が発生する。同社製のAI向け半導体の需要が供給を上回る状態は2026年ごろまで続くだろう」と予測する。

半導体メーカーになったGAFAM

生成AIの爆発的流行で起こったコンピューティングリソースの需給逼迫で、大手クラウドベンダーですらGPUの不足感に悩まされていた。例えば、クラウド世界シェア2位のマイクロソフトは2023年7月にまとめた年次報告書の中で、「運用上のリスク」欄にGPUを初めて記載。「適格なサプライヤーが非常に少ない部品が含まれている」と表記し、サプライチェーン上の課題としての認識を示した。

多数の顧客がGPUサーバーの「待ち状態」にいら立つなか、クラウド大手にとってGPUリスクは既に顕在化している。

こうした状況に、大手が手をこまぬいてきたわけではない。2010年代から「AIファースト」にかじを切った各社は、AI向け半導体が競争力の源泉になると踏んで自社開発に着手してきた。

2015年、IT大手ではいち早く独自半導体「TPU（テンソル・プロセッシング・ユニット）」の運用を始めたグーグル。生成AI需要に合わせ、2024年には第5世代の「TPUv5p」を発表した。大規模言語モデルのトレーニングが2・8倍高速になるという。「旧来のインフラ提供方法では、新たな需要に応えることができない。AIへの最適化が必要だ」。グーグルのクラウド部門で機械学習インフラなどを統括するマーク・ローマイヤ副社長はこう説明する。

グーグルが狙うのは独自開発チップの外販ではない。クラウド大手として、独自チップをクラウドサービス向けの自社サーバーに利用する。GPUサーバーとTPUサーバーを用意して顧客に選択肢を用意することで、「今後も成長するニーズに対応するために、新たなキャパシティーを投入している」（ローマイヤ副社長）とする。

生成ＡＩによる半導体争奪戦におののく大手クラウドベンダー。最大手のＡＷＳ幹部も楽天証券の今中氏同様、ＧＰＵへの需要が「２～３年続く」と見通し、ＧＰＵ確保と独自半導体の供給拡大を急いでいる。

ＡＷＳは２０１３年にクラウド基盤用の独自半導体「Ｎｉｔｒｏチップ」を自社サーバーに搭載。当時はチップメーカーとの協業で開発していたが、完全独自開発にかじを切ったきっかけが、２０１５年に実施したイスラエルの半導体開発企業アンナプルナ・ラボ（Annapurna Labs）の買収だった。その後、２０１７年ごろから前述のトランスフォーマーが台頭。ＡＷＳで長年、機械学習向けハードウエアなどに関わるチェイタン・カポールディレクターは、当時を次のように振り返る。

「２０１７年のユーザー企業のディープラーニング利用状況から、（ＡＩ需要が）指数関数的に成長する可能性が高いというシグナルが読み取れた。半導体にはエンジニアリングリソースも設備投資も必要で、当時の我々には相当な賭けだったが、（ＡＩチップへの）投資を始めるべきだった」

クラウド事業を通して需要急拡大を事前に見通したＡＷＳは、ＡＩチップの独自開発に着手。２０１９年に推論に特化したＡＩチップ「ＡＷＳ インフレンシア（Ｉｎｆｅｒｅｎｔｉａ）」を市場投入した。その後、学習用のチップ「ＡＷＳ トレーニアム（Ｔｒａｉｎｉｕｍ）」も実用化。「投資のタイミングは本当に適切だった」と、AWSのカポール氏は話す。

AWSもGPU不足が深刻化しているという認識を持つ。「顧客は大量の計算を必要としており、（この流れは）2〜3年続くだろう。私たちは膨大な数のエヌビディア製GPUを確保するために最善を尽くすつもりだ」（カポール氏）。

同氏によれば、AWSとエヌビディアの契約上は「発注できるGPUの数に上限はない」という。ただし、供給網（サプライチェーン）の問題で供給は追いついていない。「GPUの生産には長いサプライチェーンがあり、我々はその制約に直面している。高度な半導体のため、場合によっては（発注から納品まで）12カ月かかることもある」とカポール氏は指摘する。

それでもAWSが慌てていないのは、同社製の2種類の半導体をGPUの代用として提供できる能力があるからだ。GPU確保と自社半導体提供という2本柱を、カポール氏は半導体における「多面的な戦略」と表現する。

独自半導体の「意外な利点」

AWSの2種類の半導体には2つの特徴がある。1つは、自社開発による性能と価格のコントロールだ。用途を学習と推論にそれぞれ特化させ、チップの消費電力などを低く抑えることで、「(GPUと比較した場合、顧客にとって) 40~50%のコスト削減が可能だ」(カポール氏)。価格を重視する顧客にとってAWS独自チップの競争力は高いという。

学習と推論のチップを分けて開発したことは意外な利点も生んだ。「顧客の関心が (学習と推論で) どのように移り変わっているか見ることができる」(カポール氏)。クラウドベンダーとして顧客ニーズを素早く知ることができるわけだ。

もう1つはGPUとの互換性に優れている点にある。例えば、最新世代の推論向けチップを搭載した「Amazon EC2 Inf2インスタンス」。同インスタンス上でAIによる推論を実行するためのツールである「AWS ニューロン(Neuron)」は、パイトーチ(PyTorch)やテンサーフロー (TensorFlow) のような人気のフレームワークと統合されている。学習用も同様に、一般的なフレームワークを利用できる。

「あなたがGPUインスタンスを使い、かつパイトーチを利用しているのであれば、トレーニアムに移行するのは簡単だ。その知識をそのまま使える。1年後に新たなハードウエアが生まれて乗り換えたいと思ったら、すぐに移行できる」(カポール氏)。ユーザーはGPUの代替としてAWSの半導体を比較的簡単に導入できるわけだ。

独自チップのさらなる進化も狙う。アマゾンが2023年9月に発表し、注目を集めた米

AI開発スタートアップ、アンソロピック（Anthropic）への40億ドル（約6000億円）の巨額出資も、チップ開発の将来を見据えたものだ。

アンソロピックがAWSの独自チップを使用してAIモデルを開発するほか、次世代チップの開発でも協業する。AIスタートアップの声を聞きながら専用チップを設計することで、モデル開発のリアルなニーズを反映できる。半導体メーカーとしての顔も備えるようになったAWS。その半導体への注力ぶりは、AIチップの重要性を改めて浮き彫りにしていると言えるだろう。

マイクロソフトが埋めた最後のピース

「シリコンの多様性によって、世界で最も強力な基盤モデルなどをパワーアップできる」。2023年11月に開いた自社イベント「マイクロソフト・イグナイト（Microsoft Ignite）」の基調講演で、マイクロソフトのサティア・ナデラCEOは何よりも先に半導体の技術開発から発表を始めた。「AIは他のクラウドとは劇的に異なるインフラを必要とする」（ナデラCEO）からだ。

「ソフトウエアからハードウエアまで、そのすべてを最適化しなければならない」。筆者の取材に応じた同社のアリスター・スピアーズ氏はこう補足した。同社のクラウド関連インフラを担当するディレクターだ。スピアーズ氏によれば、生成ＡＩに関連した計算やプログラムコードは、これまでと異なる特徴を持つという。膨大な計算処理はもちろん、その処理に必要な計算リソースの変動も大きい。ある時は大きな処理能力が必要だが、ある時は全く必要ない。処理の遅延時間も極めて短くしなければならない。「これまでのクラウドとは全く異なる時代のコンピューティング」（スピアーズ氏）に対応するため、マイクロソフトは全てのレイヤーを見直す戦略を実行している。

２０２３年11月に発表した目玉は、長らく噂されてきた自社開発のＡＩ用半導体

独自開発のAI半導体「Maia」を発表したマイクロソフトのサティア・ナデラCEO
（出所：米マイクロソフト）

「マイクロソフト・アジュール・マイア（以下、マイア）」など2つのチップだった。いわゆるGPUの競合となる製品で、同社のAIインフラ戦略の根幹を成すものだ。

マイクロソフトはオープンAIとの提携によって生成AI市場で先行してきたものの、AWSやグーグルと比べると、半導体領域で見劣りするとの評価もあった。今回の機能増強で、足りなかった最後のピースを埋めてきた格好だ。

マイアは、大規模言語モデル（LLM）の学習と推論といったAIワークロードをクラウド上で実行するために設計されたAI半導体。5ナノ（ナノは10億分の1）メートルプロセスで製造され、1050億個のトランジスタを搭載する。マイクロソフトによれば「現在の技術で製造可能な最大級のチップ」だという。TSMCの高度なパッケージング技術を利用する。

AIワークロードを高速化するアクセラレーターチップは、前述の通りクラウドの競合であるグーグルとAWSが先行して市場投入していた。マイクロソフトがマイアを投入することで、クラウド3強がそろって「半導体メーカー」になったわけだ。

英アーム（Arm）のArmベースのアーキテクチャーを採用したCPU「マイクロソフト・アジュール・コバルト（以下、コバルト）」も発表した。ナデラCEOは「マイクロソフトのクラウド専用に設計された最初のCPU」と表現する。64ビット128コアのクラウドの汎用チップで、性能と電力効率、コスト効率を最適化した。現行世代のアームサーバーと比較して最大40％の性能向上を実現。「クラウド分野の最速のアームCPU」（マイクロソフト）としている。AI向けのチップではないが、クラウドで扱うデータ量が増えることで消費電力の問題なども顕在化しており、同社はCPUの開発にも着手したわけだ。「（マイアとコバルトなどの）自社製半導体を開発する前から、我々はサーバーやチップの一部を自ら設計してきた。全てを2023年11月に始めたように見えるかもしれないが、そのための基盤は何年もかけて構築されたものだ」。スピアーズ氏はこう説明する。

マイクロソフトは2023年1月には、データ処理用のチップである「DPU」を手掛ける米ファンジブル（Fungible）の買収を発表済み。DPUは、CPUやGPUと並んでデータセンターに必須のチップ。データの保管庫であるストレージなどへのアクセスを高速化する機能を備えている。これらがAI時代に向けたデータセンター強化の一環なのは明らかだ。

マイアとコバルトという2つのチップは2024年から順次、マイクロソフトのデータセンターに展開され、まずは同社の生成AI開発基盤である「アジュール・オープンAI・サービス（Azure Open AI Service）」や生成AIによる支援機能「マイクロソフト・コパイロット（Microsoft Copilot）」などのサービスで使用される予定だ（第3章で詳述）。

マイクロソフトの半導体戦略で見逃せないのはハードウエアだけではない。同社はマイアなどを動かすための開発ツールである「マイアSDK」の開発も同時に進めている。ツールの開発には資本業務提携関係にあるオープンAIが協力しているという。実際にクラウドを利用してAIの開発を進める同社の知見を加えることで、より使い勝手のよいサービスを目指す。アンソロピックがAWSの独自チップ開発に協力している形と似ていると言えるだろう。

スピアーズ氏はAI時代のインフラ環境の構築を「フォーミュラ1」のような自動車レースに例える。エンジンの高速化や流体力学を基にしたデザイン、データ収集による臨機応変な対応――。これらの全てをその時代のルールなどに最適化することで初めて、最も高速な自動車が開発できる。一方で、これらの技術開発はその自動車メーカーの知見として蓄えられ、F1のレースカーだけでなく、消費者向けのクルマにも好影響を与えるはずだ。AIに向けた最適化や高速化は「クラウドを利用する全ての顧客に恩恵をもたらす」とスピアーズ氏は言う。

沈黙を破ったメタ

AI開発で最先端を走るメタ（Meta、旧フェイスブック）も2023年5月にAI用独自チップ「MTIA」を発表。かねて同社を巡ってはAI用チップの独自開発の観測があり、米一部メディアが開発中止を報じていたものの、同社はそれまで沈黙を保ってきた経緯がある。MTIAはAIモデルの学習と推論の両方に適用できるよう設計されているが、主に推論で利用する。2024年4月には推論性能を3倍に高めた次世代版を発表した。

メタがAIチップを独自開発する背景には、この数年でAIのモデルサイズが指数関数的に大きくなったことで、GPUでさえ効率が上がらなくなってきたという課題がある。同社は第1章で見た通りオープンソースで高性能なLLM「Llama 3（ラマ3）」を公開している。

処理効率を高めるため、学習用だけでなく推論用のハードウエアにも急速な進化が求められるようになった。逼迫する需要を背景にCPUから推論用プロセッサーである「NNPI(Neural-Network Processor for Inference)」に切り替えたものの、需要がすぐに能力を上回り、GPUへ軸足を移した。

しかし、GPUにも課題があった。メタでソフトウエアエンジニアを務めるジョエル・コバーン氏は「GPUは推論を念頭に設計されておらず、ソフトウエアを最適化しても効率が低い。コストがかかり導入するのが難しかった」とMTIA開発の理由を明かす。

独自チップであれば、ソフトウエアなどと一体で設計できる。メタの集積回路エンジニアであるオリビア・ウー氏は「一部のＡＩのワークロードでは、データ転送で時間を大幅にロスしていることが分かった。自社設計によってアプリケーションやソフトウエアシステムなどフルスタックをコントロールできるようになった」と優位性を強調する。

同社はＭＴＩＡをフェイスブックやインスタグラムなど既存アプリのコンテンツ・広告表示に利用するほか、ＬＬＭの推論や、同社が注力しているメタバース領域などに利用すると見られる。ＡＷＳ、マイクロソフト、グーグルと違って、メタはクラウドサービスを提供しておらず、今回の独自チップに、顧客のＡＩ需要へ応えるという狙いはない。自社使用に特化している点が、ＡＩ開発競争において半導体がキーとなっていることを改めて浮かび上がらせているともいえる。

汎用チップ参入の裏に3つの理由

これまで見てきた通り、米ビッグテックはＡＩ向けだけでなく汎用チップであるＣＰＵにも開発の手を伸ばしている。グーグルは２０２４年４月、独自開発のＣＰＵ「Ｇｏｏｇｌｅ Ａｘｉｏｎ（アクシオン）」を発表した。グーグル・クラウドはアクシオンをベースとした仮想マシンを２０２４年後半から提供する。ＡＷＳやマイクロソフトに続く動きで、クラウド大手3社がそろって「CPUメーカー」となる。クラウド大手では生成AIの需要に対応するためのAI向けアクセラレーターの独自開発がトレンドだが、なぜ今になって汎用半導体であるCPUが必要なのか。

アクシオンは、アームが提供する最新のプロセッサーIP（回路情報）をベースとしたカスタムシリコン。現在、クラウドで利用可能な最速のArmベースのインスタンスよりも最大で性能が30％向上する。グーグルが提供するx86ベースのインスタンスと比べると最大50％高い性能を持ち、電力効率は最大で60％向上した。

ArmベースのカスタムCPUは、AWSが2018年に「グラビトン」を開発し、現在は4世代目を運用している。マイクロソフトも2023年11月に「コバルト」を発表済みだ。各社がCPUの独自設計に乗り出した理由は主に3つある。

1つは、選択肢を増やすことでリスクを分散する点にある。筆者などの取材に応じたグーグル・クラウドのウィル・グラニスCTO（最高技術責任者）は、「顧客のユースケースが何であれ、適切なインフラを提供するのが我々の戦略の原点だ」とした上で、「チップの選択肢が重要になる」と述べた。

GPUの需給逼迫に対して、前述の通りグーグルは独自開発のAI半導体「TPU」を提供して対応した。CPUについても同様に、提供する選択肢が増えれば供給網（サプライチェーン）などのリスクをヘッジできる。アクシオンの開発はユーザーの選択肢を増やすためであり、「米インテル（Ｉｎｔｅｌ）などのパートナーや提携先が重要なことはこれまでと変わらない」（グラニスＣＴＯ）とした。

２つめは生成ＡＩのニーズだ。ＣＰＵは汎用の半導体であり、幅広いワークロードに対応する。「ＡＩアプリケーションには、（学習や推論などの）ＡＩを動かす要素だけではなく、それと同時にウェブサービングなどの汎用アプリの要素を実行しなければならない」。グーグル・クラウドで機械学習インフラなどを統括するマーク・ローマイヤ副社長はこう説明する。生成ＡＩアプリを高速に動かすには、ＡＩ処理向けのＧＰＵなどの性能と同時に、汎用計算を担うＣＰＵの能力向上が欠かせないとする意見だ。

３つめはエネルギー効率だ。生成ＡＩの学習や推論には膨大な計算リソースと同時に多くのエネルギーが必要なことが指摘されている。国際エネルギー機関（ＩＥＡ）の調査では、２０１５〜２０２２年の７年間で、世界のデータセンターで処理された電力量は７倍以上になり、消費電力量は最大で70％増加した。生成ＡＩの拡大によってさらに増加する懸念もある。

グーグルはアクシオンの発表に際し「顧客はパフォーマンスだけではなく効率的な運用と持続可能性を求めている」とコメント。データセンターの省力化を進めている。

５年前と比較して、グーグル・クラウドのデータセンターは同じ電力量で３倍のコンピューティング性能を発揮するという。グーグルは2030年までにCO2を排出せずにオフィスやデータセンターを運用する目標を掲げており、アクシオンの開発はエネルギー効率の文脈でも重要な鍵を握る。

「半導体メーカー」としての顔も備えるようになった米国の巨大IT企業。もっとも、各社は独自チップによって完全にGPUを代替できるとは考えていない。マイクロソフトのスピアーズ氏はこう説明する。「エヌビディア製、AMD製、そして自社開発という3大AIチップをすべてのデータセンターで利用できるようにする。自社開発チップは既存のAIチップの置き換えとは考えていない」。AWSのカポール氏もAIチップ戦略を「多面的」と形容しており、エヌビディア製GPUの確保に加えて自社開発チップを補完的に利用する方針だ。

半導体産業に詳しい楽天証券の今中アナリストは次のように指摘する。

「大手クラウドなどが開発する独自開発チップはエヌビディア製GPUに性能が追いついていない。ただ、これだけGPUが枯渇している中で、『ないよりはマシ』というのが正直なところだろう。AI用の学習・推論をクラウドで実行したい顧客に補完的なチップを提供できるという点で各社が開発に乗り出した意味はあったと思うが、現実的に代替は無理筋だと考えている」

GPU、もう1人の勝者

GPU需要の恩恵を正面から受けているのはエヌビディアだけではない。知られざるGPUの勝者が米スーパー・マイクロ・コンピューター（Super Micro Computer）だ。2023年頭に80ドル程度だった株価は2024年3月に1140ドルを記録。わずか1年強で14倍になった。株価急騰が騒がれるエヌビディアの株価の伸びは同期間で2倍程度なので、スーパーマイクロの爆騰ぶりが分かる。足元の4～5月の株価は調整が続いて1000ドルを下回る水準で推移しているが、それでも圧倒的なパフォーマンスは変わらない。

一般的な知名度は決して高くないこの企業の株価がなぜここまで伸びているのかを解説しよう。

「サーバーもついにここまで来たか……」。2022年の春、楽天証券経済研究所の今中氏は、サーバーを取り扱う販売会社のカタログ価格を見て仰天し、「感慨深さ」すら感じた。エヌビディアの当時の最新GPU「A100」を搭載したサーバー価格が1000万円を超えていたからだ。一般的なサーバー価格は当時も今も10万円からで、高性能でも200万円程度。そのサーバー市場に、文字通り「桁が違う」商品が出てきたのだった。その後もＧＰＵ搭載サーバーの価格は上昇し続けており、最新のＧＰＵ「Ｈ１００」を８基搭載した高性能サーバーは３０００万～４０００万円で取引されている。

サーバーとは、インターネットなどのネットワークを通じて、利用者の指示に応じたデータやサービスを提供するコンピューターを指す。データセンターなどにずらりと並んでいるラックの中に収納されたコンピューターだと理解していただくのが分かりやすい。スーパーマイクロは、半導体などの部品を買い付けてサーバーを組み立てる「サーバーメーカー」の１社だ。

エヌビディアはＧＰＵメーカーで、ユー

株価の急進が続く米スーパー・マイクロ・コンピューター。写真はエヌビディアの年次開発者会議「GTC」に出展した同社のブース

ザー企業は一般的にサーバーメーカーを通してGPUを購入し、GPU内蔵サーバーを自社のデータセンターに導入する。サーバーメーカーとは、エヌビディアとGPUユーザーの間でサーバーを組み立てる黒子のような存在だ。GPU搭載サーバーの桁違いの単価が、サーバーメーカーの収益を押し上げている。

サーバーメーカーはその商習慣から2種類のプレーヤーに大別される。1つは「ODMダイレクト」と呼ばれるメーカー。ODMとは、委託された企業のブランドで製品を設計・製造することを指す。超巨大データセンターを運用するAWSなどの大手クラウドプロバイダーやメタなどのSNS大手から委託を受け、専用サーバーを開発・納品する。GPUなどの半導体はAWSなどの委託元が半導体メーカーから直接、買いつけることが多い。台湾系のメーカーが多く、米IDCや英オムディアなどの調査会社は、サーバーメーカーの市場調査において、ODMダイレクトを一括りとしてランキングを算出している。

もう1つは、自社ブランドでサーバーを組み立てて納品するメーカーで、米デル・テクノロジーズ（Dell Technologies）やスーパーマイクロなどはこのカテゴリーに含まれる。オムディアが2023年12月にまとめた調査では、サーバーの売上高ベースで1位がODMダイレクト、2位がデル、3位が中国・IEITシステムズで、スーパーマイクロは5位にとどまる。

AIサーバーを「売りまくった」米国企業

なぜ業界5位のスーパーマイクロが市場の注目を集めているのか。

端的に言えば、好調な業績に尽きるだろう。サーバー全体では売上高は5位だが、GPUなどの先端半導体を搭載した「AIサーバー」に限ると、同社の存在感は際立つ。各社はAIサーバーに限った売上高を公表していないが、米ノースランド・キャピタル・マーケッツのネーハル・チョクシーアナリストは「スーパーマイクロが世界でトップなのは明らかだ」と見る。

2024年1月にスーパーマイクロが発表した2023年10~12月期の業績は、高単価のAIサーバーに支えられて売上高が従来計画を3割程度上回り、市場から想定以上のAIサーバー需要があるとの評価を受けた。3月には米S&P500への組み入れが決まり、知名度が一気に向上。2024年6月通期の売上高は前年度比2倍以上となる146億4000万ドルを見込んでいる。

好調な業績の背景には、スーパーマイクロのしたたかな戦略と、それを裏付ける技術力がある。米証券会社のあるアナリストは「なりふり構わずAIサーバーを単品で売りまくった」と説明する。サーバー業界では、組み立てたサーバーだけを販売するのではなく、付随するソフトウエアやサービス、コンサルティングなどを組み合わせて利益率を高める手法が台頭。デルがその筆頭だった。一方、スーパーマイクロはその逆を行った。ＡＩに需要があることを踏んで、主に米国でＡＩサーバーをとにかく早く大量に売ることに主眼を置いた。米国の中堅クラウド企業のエンジニアは「ＡＩサーバーを大量に売りまくっていた」と語る。「スーパーマイクロに頼めばＧＰＵサーバーがすぐ手に入る」。２０２３年秋ごろには米国でこうした評判が業界内に広まった。

「デルの危機感は相当なものだろう」。楽天証券の今中アナリストはこう見る。「このまま需要が堅調に推移すれば、２年以内にはサーバー全体の売上高でスーパーマイクロがデルに並ぶか抜き去ってしまう」と予測する。

技術力にも定評がある。米ＩＢＭが２０１３年に買収したクラウドプロバイダー、ソフトレイヤー（SoftLayer）のデータセンターを手掛けていたこともあり、特に大型データセンターが要求する厳しい要件に対する技術が高いとされる。エヌビディアもその技術力を高く買う。エヌビディアとスーパーマイクロは非公表としているが、複数のサーバーメーカー関係者は「前世代ＧＰＵである『Ａ１００』を搭載したエヌビディアの純正サーバーは、裏ではスーパーマイクロが組み立てていた」と証言する。

台湾・クアンタの実力

早く大量に売るという戦略と確かな技術力。生成ＡＩブームという突風が吹いても、着実にＧＰＵサーバーを供給できるという実力があった。

一方、楽天証券の今中アナリストは「スーパーマイクロにはまだ成長の余地がある」と指摘する。台湾の調査会社トレンドフォース（ＴｒｅｎｄＦｏｒｃｅ）によれば、スーパーマイクロがＡＩサーバーを供給している主な顧客は新興クラウドプロバイダーであるコアウィーブ（ＣｏｒｅＷｅａｖｅ）や米電気自動車大手のテスラ（Ｔｅｓｌａ）。圧倒的な設備投資を進める大手クラウドより規模が小さいプレーヤーだ。クラウド需要をさらに取り込む可能性がある。加えて、ＡＩのユーザーとなる事業会社による潜在的なＧＰＵニーズも隠れている。

製造業界における製品開発や設計データ、金融業界における顧客情報など、大手企業の中にはクラウド上にデータを置いて生成ＡＩを利用することに対する警戒心が根強い。自社サーバーにＧＰＵを搭載して社内でデータを完結したいというニーズが存在する。「その層にまだＧＰＵは行き渡っていない。既に明らかになっている売上高やニーズなどのもっと底流に、さらに強い動きがあると考えたほうがいい」と今中アナリストは指摘する。それがスーパーマイクロの業績をさらに押し上げるとの見立てだ。

スーパーマイクロだけでなく、大手クラウドなどから委託を受けるODMダイレクト各社も注目株。台湾の広達電脳（クアンタ）や神達電脳（マイタック）、技嘉科技（ギガバイト）などがODMダイレクトの代表例だ。半導体受託製造世界シェア1位のTSMCとの距離が近く、エヌビディアとも有効な関係を築いているとされる。

例えばクアンタはグーグルやメタを顧客として抱える。トレンドフォースは「AWSやマイクロソフトといったクラウド関連顧客からの受注によって、クアンタの2024年のAIサーバーの出荷台数が前年比で二桁%増となる見込みだ」と予想する。

スーパーマイクロには及ばないが、クアンタの株価も2023年1月比で4倍程度に上昇している。台湾の調査会社KGIのアンジェラ・シャンアナリストは「クアンタのAIサーバー販売は、（エヌビディアによる）GPU供給が増加する2024年7〜10月期から回復し同年後半に上向く。2024年のサーバー販売台数は前年比80〜90%の伸びを予想している」としている。

GPUに3つの死角

AI学習の計算リソースの膨大な需要に支えられて快進撃を続けるエヌビディアやサー

バーメーカー。米西海岸の半導体メーカーのエンジニアは「向こう10年、AI半導体需要が落ち込むことはない」と語る一方で、「その需要とエヌビディア一強が続くかどうかは別の問題だ」と語る。死角はどこにあるのか。エヌビディアの専売特許であるGPUの今後を占ってみよう。

1つめの死角は、AI向けの計算需要がどこまで続くのかという問題だ。「残念ながら、ビジネスの現実は厳しかった。我々の資金力やAIのトレンドなどを考慮すると、我々にはスペックを満足するだけの時間もリソースもない」

GPUレンタルサービスを手掛ける米バナナ（Banana）は主力サービスを2024年3月31日で停止した。生成AIの世界的ブームに乗じて投資家から資金を調達したバナナのサービス停止は、加熱する市場に早くも淘汰の波が押し寄せていることを示している。バナナの主力事業である「サーバーレスGPU」は、AIモデルを開発する新興勢などに対して非常に安価でGPUサーバーを提供するサービスだ。

一般的にAIモデル開発企業は、AWSやマイクロソフトといったクラウドプロバイダーが提供するクラウドサービス上でGPUを利用し、AIモデルの開発やテストなどを行う。ただし大手のクラウドは比較的高価で、AIスタートアップ勢にはハードルが高い。バナナはこのニーズを狙って、規模の比較的小さいクラウド事業者などからGPUサーバーをレンタルし、AI開発用のソフトウエアなどを組み合わせてAIモデル開発企業に対して割安な料金で提供してきた。

こうした企業は「GPUリセーラー」「サーバーレスGPUプロバイダー」と呼ばれ、生成AIブームを受けて2023年に一気に注目を集めるようになった。2023年11月にシリーズAラウンドで1億2500万ドル（約154億円）を調達して話題を呼んだ米トゥギャザーAI（Together AI）や、企業が利用していないGPUサーバーを借り受けて再レンタルする米ランポッド（RunPod）などが代表格。AIブームとGPU供給不足の状況下で、リセーラーはクラウドビジネスに新たな業態を持ち込んだわけだ。

しかし、バナナにとって誤算が2つあった。1つは市場の大きさだ。有力AIスタートアップはブームに支えられて豊富な資金を手にし、リセーラーからではなく大手クラウドからGPUサーバーを直接借りるようになった。バナナの創業者であるエリック・ダントマン氏はユーザーを交えたコミュニティーサイトで、「(こうした動きに対して）自分たちでGPUの（物理的な）在庫を持つリソースはなかった」とコメントした。

AIアプリを提供するスタートアップは自社で独自モデルを構築するのではなく、米オープンAIなどのAIモデルをアプリケーション・プログラミング・インターフェース（API）

で利用して、自社サービスを展開し始めた。バナナのGPUサーバーに残された市場は大きくなかった。

2つめの誤算は、AIモデルのトレンドが変化しつつあることだ。オープンAIや米グーグルなどがモデルのパラメーター数やデータ量などの「規模の競争」を繰り広げる一方、AIを利用するユーザー企業は、比較的小さなモデルを適材適所で使う方法を検討し始めた。大きなモデルは汎用性が高く優秀だが、その分、計算に利用するリソースが大きくなりコストがかさむからだ。

大規模言語モデル（LLM）ならぬ「小規模」言語モデル（SLM）の開発も進む。マイクロソフトは2024年4月にSLM「Phi-3（ファイ3）」を公開。38億パラメーターのモデルだが、より大きなモデルより優れたパフォーマンスを発揮するという。

企業は徐々に利用するGPUサーバーの最適化を進めている。米国のAI関連企業のエンジニアは「GPUサーバーを無理やり集めなければならないという段階は脱しつつある」と話す。こうした変化が、バナナのサービスに逆風となった。「24年の前半はスタートアップにとって非常に厳しい時期になる」。米ベンチャーキャピタル（VC）のトムベスト・ベンチャーズでマネージングディレクターを務めるウメッシュ・パドバル氏はこう見る。スタートアップCEOの経験もあり、現在はAIやクラウド関連を専門とする著名投資家の一人だ。

これら2つの誤算はバナナ以外のリセーラーにも当てはまり、同業他社にも厳しい状況が続くと見られる。

バナナの例で明らかになったように、計算リソースのニーズは、その種類も対象も刻々と変わっている。単純に「AIブームが続くから計算リソースが必要になる」と見立てるのは危険だ。その内容を注視する必要がある。

「GPUは主に、大量の計算処理が必要なAIの学習用途で使用されている。AIモデルが数社による寡占となり、AIのユーザーがそのモデルを使って推論を行うフェーズに移行すれば、今度は推論用のチップがメインになる。この分野はまだ発展途上であり、推論専用チップが多数登場するはずだ。GPU一強時代はそれほど長くない」。日系半導体メーカーのエンジニアはこう見る。

GPUはコモディティー化するか

2つ目の死角は低価格化だ。コモディティー化とも言える。市場参入時には高付加価値を持っていた製品が、市場の活性化や競合の出現などによって他の製品との機能・サービスの差がなくなり、価格競争を余儀なくされる状態を指す。例えば2010年代に日系電機メーカーが苦しんだ薄型テレビはその典型だろう。当時、売れ筋だった40インチの薄型テレビの店頭実売価格は2009年には14万円程度だったが、3年後の2012年には6万円台と半額以下になった。「3年で半額」という法則はDVDやブルーレイディスクのレコーダーにも当てはまっている。

データ分析基盤を提供する米データブリックス（Databricks）のアリ・ゴディシCEOは米メディア「ジ・インフォメーション」が開いたイベントで、コモディティー化によって「今後1年間でGPUの価格は急落するだろう」との持論を述べた。その根拠は、前述の日系半導体メーカーのエンジニアが言ったことと重なる。パラメーター数が増えるほど性能が上がるというスケーリング則を背景に各社は巨大なモデルを求め、AIの学習には指数関数的にコストとリソースが必要になった。この競争を続けられるプレーヤーは3～4社になり、性能の高いオープンソースモデルも登場する。つまり、AIの事前学習のニーズは頭打ちになる可能性がある。

ゴディシCEOはそれをルーターに例えた。インターネットが登場して人々がその巨大な可能性に気付いた時、まず熱狂はルーターをはじめとしたネットワーク機器に向かった。しかし、本当の価値はインターネット上のコンテンツやアプリケーションにこそあり、同氏は「ルーターはコモディティーであることが判明した」と分析した。

ゴディシCEOが指摘した通り、当時、ルーターを提供する米シスコシステムズ（Cisco Systems）の株価は爆発的に伸びており、その時価総額は2000年3月に約5500億ドルに達して米国トップに躍り出た。投資家はインターネット時代のハードウエアに価値を感じ、シスコがその主導権を握るという可能性にかけていたわけだ。2000年時点のシスコのネットワークスイッチは世界シェア70％程度、ネットワークルーターは同85％だった。ハードウエアの高いシェアはAI時代のエヌビディアと重なる。

しかし2001年にインターネットバブルが弾け、同年末までにシスコの株価は3分の1程度に急落した。マクロ経済の影響が大きかったものの、2000年時点ですでにルーターなどのネットワーク機器がコモディティー化していたとの指摘もある。当時、シスコ日本法人で営業を担当していた関係者は「2000年代前半時点でルーターの処理能力は頭打ちで、性能ではなく価格で勝負していた。顧客に頭を下げてルーターをたたき売っている状態だった」と打ち明ける。

果たしてGPUもコモディティー化するのか。「その可能性は否定できないが、反証の余地がある」。楽天証券の今中アナリストは「処理性能が上がり続けている製品はコモディティー化しない」という持論を主張する。

その一例がCPUだ。インテルのPC向け主力CPUである「Core i」シリーズで具体的に見てみよう。第1世代の発売は2008年で、2024年時点の最新は第14世代となっている。この間、半導体のプロセスは32ナノメートルから10ナノメートルに微細化し、チップの性能は10倍以上に向上した。この間のCPUの価格を比較すると、第1世代（Core i7-875K）の発売当時の価格は3万5000円程度、第14世代（Core i7 14700K）が同7万9000円程度で2倍以上となっている。CPUの性能と価格は上がり続けているわけだ。

一方で、CPUニーズの代表格であるパソコンでは、OS（基本ソフト）がCPUに要求する性能が上がり続けたわけではない。原則としてOSのバージョンが上がれば半導体の要求性能は増えるものの、例えば2006年の「Windows Vista（ビスタ）」から2009年の「Windows 7」へのアップグレードでは、ユーザーからビスタに対して「動作が重い」「不要な機能が多い」などの意見を受けてより少ない性能で動作する仕様に変更されている。それでも、CPUのスペックは上がり続けた。今中氏はこの理由を「OSという基盤が要求する性能が上がらなくても、PCで動作するアプリが増え続けているからだ」と指摘する。多くのアプリが登場したことで要求性能が上がり続け、CPUはコモディティー化しなかったのだ。

生成AIにもこの指摘は当てはまりそうだ。AIモデルの学習ニーズが一段落したとしても、今度はＡＩを使った様々なアプリの開発競争が始まる。現在はＡＩとのチャットなどが主な用途だが、様々なキラーアプリ、キラーコンテンツが出てくるだろう。１９９０年代半ばに従来型のウェブが現れたときに多くの人がインスタグラムなどのＳＮＳやウーバーなどのシェアリングサービスを予見できなかったように、生成ＡＩ時代にも想像を超えるアプリが生まれる可能性がある。「歴史を見れば分かるように、半導体の性能は上がり続ける。これはＡＩの時代にも当てはまるはずだ」。今中氏はこう指摘する。

ポストGPUの胎動

最後の3つめの死角が「ポストＧＰＵ」と呼ばれる新型のＡＩ向け半導体だ。この領域はスタートアップを中心に様々な技術が登場している。

特徴は、今後のニーズを見据えてＡＩの学習ではなく推論を専用とするスタートアップが多いことが挙げられる。例えば米ｄマトリックス（d-Matrix）は異なるチップを組み合わせる「チップレット」技術を採用し、最先端ＧＰＵの40倍のメモリー帯域幅を実現した。米ハーバード大学を中退した21歳のコンビが起業した米エッチドＡＩ（Etched.ai）や、グーグルで機械学習向けチップ「ＴＰＵ」を担当していたエンジニアが創業したグロック

（Groq）、人間の脳の特徴を再現するチップ開発を目指し、サム・アルトマン氏が投資したことでも知られるレインAI（Rain AI）、ドローンやロボット、自動運転向けのチップを開発するシマAI（SiMa.ai）などが注目と投資を集めている。

AIの学習についても、理論的なバックグラウンドを持ってGPUの牙城を崩そうと挑む新興企業がいる。米サンバノバシステムズ（SambaNova Systems）はその1社だ。日本では理化学研究所が既に同社の技術を採用している。少し長くなるが、同社が目指す新型の半導体を紹介しよう。

サンバノバの最大の特徴は「データフロー型計算機」を採用していることにある。

現代型のコンピューターは全て、人類史上

データフロー型のプロセッサーを開発する米サンバノバシステムズ。写真はプロセッサーを搭載した同社のサーバー

最高の頭脳を持つとされたフォン・ノイマン氏が開発した「ノイマン型計算機」だ。ノイマン型のコンピューターは、データを移動させて演算して戻すという処理を経る。ロード、計算、ストアという流れで、GPUもこの方式で処理するのは同じだ。計算機であるプロセッサーがメモリーにデータを読み書きしながら処理を実行していく。

一方で、AIにおけるプログラムコードは既にノイマン型の世界から次に進んでいる。エンジニアが自ら専門的なコードを書いてアルゴリズムをつくるのではなく、データを与えると人間の神経回路を模した手法である「ニューラルネットワーク」が重みづけをしてプログラムが出来上がる。データが流れるように計算が進むので「データフロー型」と呼ばれる。機械学習のプログラムでよく用いられるツール群であるテンサーフロー（TensorFlow）もパイトーチ（PyTorch）もデータフロー型だ。

つまり、プログラムはデータフロー型なのに計算機はノイマン型というチグハグな状態がAIの現状だ。このミスマッチによってGPUは「無理」をしている。計算処理の都合上、ノイマン型でAI学習のように大量のデータを同時並行的に処理するには、そのデータを読み書きする高速なメモリーをプロセッサーの近くに置く必要がある。これがGPUを利用したチップが高価になる理由だ。メモリーがボトルネックになるこの問題を「フォン・ノイマン・ボトルネック」と呼ぶ。しかもメモリーは速度と容量がトレードオフなので、高速なメモリーほど容量は小さくなる。現状、エヌビディア製のGPUの場合は最大で80ギガバイトのメモリーしか置くことができない。

一方で、データフロー型コンピューターはメモリーとプロセッサーをデータが往復するのではなく、演算機能を持つ「演算ユニット」から「演算ユニット」へとデータが流れていく形で処理が進む。データフロー型で書かれたプログラムをそのまま計算機に流し込むようなイメージだ。GPUと違ってデータを都度読み書きする高速なメモリーは不要なため、「小さくて高速なメモリー」ではなく「大きくて低速なメモリー」を置くことができる。サンバノバの最新半導体には1テラバイトという大容量メモリーを配置している。

ただし、データフロー型計算機には大きな問題がある。それは、多種多様なニューラルネットワークの種類に応じて、その計算のための物理的な回路を都度、再構成できないというハードルだ。それを解決しようとしたのが、データフロー型として知られる半導体の一種であるFPGA（書き換え可能な集積回路）だった。インテルやAMDが開発することで知られる。しかしFPGAはGPUなどと比較してプログラミングの難度がはるかに高いというデメリットがある。回路の構成を切り替えるのに一定の時間が必要という課題も残っている。

サンバノバはこの問題に対し、「瞬時に再構成可能な半導体」という解を提案している。具体的には、パイトーチなどで作成したAIモデルのプログラムをサンバノバの半導体向けに独自に変換する。１つのチップで複数のプログラムに対応し、動的に回路を再構成できるという。

同社は半導体を単体で提供するのではなく、「ＡＩプラットフォーム」としてハードウエアとソフトウエアをまとめてサブスクリプションで提供するサービスを展開する。ユーザー企業は自社データセンターにサンバノバのサーバーなどを設置することになる。クラウドにデータを置かず、社内のプライベートな環境でＡＩを利用したいという企業が対象となるため、ＡＷＳなどの大手クラウドが社内データセンターに展開する膨大なＧＰＵと直接競合するわけではない。

既に理化学研究所のほか、米国の国立研究所などが同社サービスを利用しており、2023年3月にはアクセンチュアとパートナーシップを結んだ。データフロー型計算機という古くて新しい技術がＡＩ半導体として一定の存在感を示す可能性は十分にある。

「超高速メモリー」に必要な日本企業

世界的な半導体需要は日本企業にとっての商機でもある。足元で特需が発生しているのが日本の半導体製造装置メーカーだ。

「エヌビディアが最新GPU『H100』を増産できたのは東京エレクトロンのおかげだ」。日系半導体関連企業のエンジニアは2023年夏ごろ、筆者にこう語っていた。前述の通り、GPUはノイマン型のプロセッサーであり、データの読み書きに超高速メモリーが必要となる。これを「HBM（広帯域高速メモリー）」と呼ぶ。HBMは半導体材料であるウエハーを積層してつくるが、その際にウエハー同士を接合する「ボンディング装置」が必要になる。この装置で世界シェアの過半を握るのが東京エレクトロンだ。需要逼迫でボンディング装置が不足し、2023年春から夏ごろには、HBMメーカーである韓国のSKハイニックスなどが増産できない事態が続いていた。「特に韓国の顧客からの引き合いが急激に増加している状況で、2023年度の期初はかなり逼迫していたが、（2023年11月時点では）期初の数倍レベルに生産能力を拡大することができた。HBMの需要に応えられない状況は解消済みだ」（東京エレクトロン）。

HBMに関しては製造装置で世界最大手であるディスコにも注目が集まっている。同社はウエハーの底面を薄く削るグラインダーで世界シェア7割以上を誇る。HBMには精密な加工が必要で、同社の高性能グラインダーが必要とされる。価格は一般的なグラインダーの倍で、同社の業績に好影響を与えそうだ。TOWAの「モールディング装置」も製造に必須。モールディングは半導体製造の後工程の1つで、ウエハーから切り出したチップを樹脂で封止する工程を指す。同社の世界シェアは7割に迫る。特にHBM向けの「コンプレッション（圧縮）方式」は同社が発明したもので、世界シェアを独占している状態だ。

オールドルーキーたちの勝算

米ニューヨーク州にあるIBMの半導体研究施設、アルバニー・ナノテク・コンプレックス。半導体関連の研究機関や企業が集まるこの地で、日本から送り込まれた100人以上の技術者が現地の研究者と膝詰めで議論を交わしている。平均年齢は約50歳。決して若くはないが、内に秘める使命感は並々ならぬものがある。2022年、最先端半導体の量産を目指して設立されたばかりのファウンドリー（製造受託会社）、ラピダス（東京・千代田）の精鋭部隊だ。

1980年代後半、半導体生産で5割の世界シェアを誇り一度は覇権を握った日本。今やそのシェアは1割以下となり〝焼け野原〟となった。だが起死回生を狙い、散り散りになっていた技術者らがラピダスに再集結している。

ラピダスが目指すのは、演算処理に使われるロジック半導体の中で近く主戦場となる回路線幅2ナノメートルの半導体だ。2025年に試作ラインを構築し、2027年に量産を始める。

2ナノ半導体を目指す取り組みは、2014年に不採算で半導体製造部門を売却したIBMからのオファーが発端だ。同社は世界初の2ナノの技術を使ったチップの試作品を世界に先駆けて2021年に開発し、量産を東京エレクトロンの東哲郎元社長（現ラピダス会長）に持ち込んだ。日本の半導体各社が「無理だ」と首を振る中、事業化を引き受けたのが、日立製作所や米サンディスクなどを渡り歩いた小池淳義氏（現ラピダス社長）だった。

2ナノは3ナノ品に比べ消費電力を2〜3割抑えられ、AIや自動運転などの分野での活用が有望視されている。だが難関は量産過程にある。設計こそ終わっているものの、

2024年4月、シリコンバレーに営業拠点を開設すると発表したラピダス。中央が同社の小池淳義社長

量産に向けた技術開発はまだ道半ばだ。3ナノでは先端半導体の生産で世界シェア9割を占めるTSMCやサムスン電子が量産を始めている。2ナノについては両社ともに2025年を目指す。

一方、日本はルネサスエレクトロニクスの40ナノが最先端で、微細化競争では2周遅れ。ラピダスは量産までに5兆円が必要とするが、既に決定した政府の補助金だけでは全く足りない。民間からの調達や上場も視野に資金を集められるかは、プロジェクトの進捗や顧客の確保がモノを言う。

量産のカギを握るのがGAA（ゲート・オール・アラウンド）と呼ぶ技術だ。半導体の素子は魚のヒレのような従来の構造から、縦方向に集積させるGAAへと、より集積度が高く製造が難しい技術への転換点を迎えている。ラピダスは、そこでいち早く製造ノウハウを確立しようというわけだ。小池社長は記者会見などの度に「我々の最大の武器はスピードだ」と繰り返している。従来の半導体工場ではコストを抑え生産性を高めるため、大量のウエハーを一度に加工する手法が一般的だった。ラピダスはその逆を行き、ウエハーごとに処理することで「少量でもすぐ欲しい」というニーズを満たす戦略だ。これは約20年前、日立と台湾の聯華電子（UMC）の合弁会社で小池氏が実現しようとした手法だ。当時、納期を2～3カ月から1カ月に縮めることに成功したが、海外メーカーの需要を取り込めなかった。

生成ＡＩの需要などで、このスピードが今度こそ日の目を見るとラピダスは見ている。「初期顧客はＡＩの先端地であるシリコンバレーの企業がかなりの部分を占めるだろう」。２０２４年４月、ラピダスは米カリフォルニア州サンタクララに営業拠点となる新会社を設立したと発表した。インテルやエヌビディア、ＡＭＤが本社を置くシリコンバレーの中心部だ。記者会見を開いたラピダスの小池社長はこう語り、新設した営業拠点を軸に顧客開拓を強化する意向を示した。

小池社長はＡＩによる半導体ニーズを次のように説明した。現状の需要はＧＰＵやＣＰＵ、その他のＡＩ専用チップにある。しかし、ＡＩの実用化が進み用途が広がれば、汎用的なＧＰＵではなく、その用途に特化した専用チップが多くなる。多種多様なＡＩチップが必要になるとの見立てだ。そうなった時、ラピダスが目指すスピーディーで少量の半導体製造技術が競争力を持つと読む。

営業を担う米国法人の社長には、ＡＭＤやＩＢＭでグローバルマーケティングなどの経験が豊富なアンリ・リシャール氏が就いた。リシャール氏は会見で生成ＡＩによる半導体需要の拡大に触れ、「先端ロジック半導体の需要はいまだ過小評価されている。サプライチェーンには地政学的なリスクがあり、新世代の企業はチップ開発における新たなパラダイムを求めている」と語った。ラピダスはＡＩ向けの先端半導体がビジネスの中核になると見ており、顧客開拓を急ぐ考えだ。

ニーズはある。米巨大IT各社も日本の半導体関連企業との協業に前向きだ。「もし日本の半導体メーカーが、現在のTSMCのようなノード（半導体プロセスの世代を表す指標）を提供するなら、ぜひ話をしたい」。エヌビディアのサルヴァトール氏は「具体的な計画や意図があるわけではない」とした上で、日本の半導体メーカーを歓迎する考えを示す。具体的な条件として、回路線幅3ナノ〜5ナノメートルを挙げた。

AWSも「2ナノ〜3ナノメートルの最先端プロセスを持つならば協業にはオープンだ。需要に応えるため様々な地域に他のサプライヤーを持つことを望んでいる」（AWSのカポール氏）と秋波を送る。さらにカポール氏は最先端プロセス以外の半導体について、「我々はAI以外にも広くシリコンを必要としている。日本企業との協業の可能性は『イエス』だ」と話した。

GPU不足が顕在化し、AI開発企業は半導体サプライチェーンの見直しを迫られている。生成AIブームは日本の半導体関連企業にとってチャンスであり、この波に乗り遅れたら巨大な商機を逸することになる。

Interview

10年後は全く異なる勢力図になる 半導体は「人を幸せにするか」を考え尽くす

ラピダス 社長　**小池 淳義**氏

2025年に2ナノメートルの先端半導体の試作開始を目指すラピダス。新たなAI半導体メーカーとして注目を集めるが、具体的なニーズはどこにあるのか。シンギュラリティーを研究したAIの専門家である小池淳義社長は、生成AIによる勢力図の将来像をどう読むのか。「最終製品を顧客と一緒に考える全く新しい企業になる」と意気込み、生成AI時代を「人々が幸せになるという最終ゴールを共有しない限り、技術だけでは答えは出ない」と見通す。

――小池社長は『シンギュラリティの衝撃』（PHP研究所）の著書を持つAIの専門家でもあります。2023年からの生成AIブームをどうご覧になっていますか。半導体分野ではGPU

の争奪戦が続いています。

イノベーションには絶頂期や幻滅期を描くカーブがあります。ＡＩのカーブについてじっくりと研究したのですが、ご存じの通りＡＩは何度も浮き沈みを繰り返しており、今回の生成ＡＩもその一連の流れで位置付けられるでしょう。ですから、今は爆発的なブームで期待が大きいかもしれませんが、長期的に見た場合には、このまま絶頂を続けることはないと見ています。

一旦、ブームが落ち着いて停滞し、本当の意味で産業として発展するには時間がかかるでしょう。ですから、このブームは冷静に見なければなりません。

――以前から、ラピダスが量産開始の目標とする2027年には、AIによって半導体需要が従来予想の2倍程度に膨れ上がると見ていらっしゃいます。普及は2027年ごろでしょうか。

本当の産業形成はもう少し後かもしれません。もちろん米国でも欧州でもそして日本でも大きなブームになっていますが、少し心配な部分もあります。ＡＩへの過度な期待もそうですし、十分な防御策が検討されているかどうか。「これは危ないな」と感じる時があるんです。

半導体の話題で言えば、様々な会社が参入を検討していると伝えられています。オープン

ＡＩもそうです。ただ、分かりやすく言えば彼らは半導体については素人です。半導体には非常に複雑なサプライチェーンがあり、１つでも要素が欠けたら製造できなくなる。その構造を正しく理解すれば、需要があるから巨大な工場を建ててすぐに大量に製造するといったことが難しいと分かるはずです。

――先日はオープンＡＩの幹部が来日しました。

私も会っていろんな話をしました。

――彼らと協業するという可能性は。

あり得ると思います。彼らも多分チップをつくるでしょうから、当然、様々な方法

ラピダス 社長　小池 淳義氏
1952年千葉県生まれ。1978年早稲田大学大学院理工学研究科修了後、日立製作所に入社。半導体の技術開発に従事し、2000年、日立と台湾UMCの合弁会社トレセンティテクノロジーズ取締役、2002年社長。2006年サンディスク日本法人社長。2018年ウエスタンデジタルジャパンプレジデントを経て2022年8月ラピダスを設立し、現職。

を検討しているはずです。メーカーと組む選択肢もあるでしょう。彼らはソフトウエアからハードウエアに参入しようとしている。我々はハードウエアからソフトウエアを考えられる。最終的な製品についてのゴールが共有できれば、良い組み合わせになると思います。

――小池社長は「人間の豊かさを想像した上でものづくりをすべきだ」と何度も発言していらっしゃいます。AIによって人間はどう豊かになるのでしょうか。

テクノロジーによって人間は「便利さ」を手に入れました。これは間違いないでしょう。ただ、いつも疑問に思っているのは、「便利にはなったが幸せになっただろうか」ということなんです。人類が何千年も議論してきたことですよね。哲学的な問いかもしれません。人間の幸せとは何だろうか。AIという道具を手に入れたときに考えなければならないのも同じなんだと思います。「AIがどう人間を幸せにするか」を突き詰めて考えなくちゃいけない。

世の中の多くの経営者が、従業員を豊かにすることが目的だと言う。半導体関連の企業であれば、半導体産業の発展がゴールだと口にする。でも、それは経営者の最終的なゴールではないと思うんです。我々がつくるモノが人々を真に幸せにするのか。経営者であればそれをより深くより真剣に考えなくちゃいけない。

私は幸せっていうのは「今日は本当に素晴らしいことをやり遂げた」と感じ、「さらに明日もっと素晴らしいことができるかもしれない」と思えることだと思っています。サグラダ・ファミリアの設計者である建築家のアントニ・ガウディは毎日、世界中から集まった職人を前に「明日はもっと良いものをつくろう」と言ったそうです。それが幸せであり、機械には到達できない領域だと思うんです。

半導体に置き換えると、技術だけでは答えは出ないんですよね。半導体の技術はどんどん進化しています。でも、果たして人間が幸せになる製品をつくれてきたのか。私は、こういう議論をする仕組みも場所もなかったと思う。水平分業が進んで、設計と前工程と後工程がばらばらに動いている。大げさじゃなく、今は前工程と後工程で会話もないんです。言語も文化も違う。分業が技術的には標準になり、いわゆるファブレス・ファウンダリーモデルが世界を席巻している。「経済的には」ベストだと。確かに効率だけ考えたらベストなのかもしれない。しかし、私はその先を考えたい。考えないと、未来は来ないんです。

具体的に言えば、製造する半導体の最終的なゴール、目指す先を顧客と一緒に議論するということです。それぞれの段階に壁を設けず、最終的なゴールに向かって何が正しいかを議論する。そういう工場をラピダスは世界で初めてつくろうとしています。

我々が「RUMS（Rapid & Unified Manufacturing Service、ラムス）」と名付けたのはそういう概念です。これからAIスタートアップがどんどん出てきます。GAFAMだって半導体設計の支援は必要でしょう。彼らと議論して、必要な半導体とは何かを考える役割が必要なのです。単純に、顧客の意見だけを聞いていたら、低消費電力で高速、そして低コストな半導体ばかりになります。それではコモディティー化してしまう。

これからは一律に大量供給する時代じゃない。絶対的で汎用的なチップではなく、それぞれの企業が専用化してそれぞれのゴールに向かう半導体が必要です。例えばスピードは重視しないが消費電力を100分の1にしてほしい、あるいはコストは10倍でも構わないがある能力を最大化してほしい、こうしたニーズが出てくるかもしれない。それぞれの豊かさ、それぞれの幸せに向かって、ニーズも半導体も多様化していくはずです。

——ニーズが多様化する時代に、ラピダスが2ナノメートルプロセスで製造する半導体の具体的な用途は何でしょうか。場合によってはエヌビディアのGPUを製造する可能性もありますか。

AI半導体で言えば、今は3つのグループが存在します。グループAはインテル、エヌビディア、AMDのような王者。汎用的なCPUやGPUを生産しています。彼らは今、黄金の時代を迎えていますよね。当然、彼らも、AIアクセラレーターを既存のCPUやGPUに組み込むことで需要を取りに来るでしょう。

グループBはいわゆる「GAFAM」で、クラウドなどのデータセンター向けにAI半導体をつくっている。ご存じの通り急激に成長しており、彼らはデータを武器に処理を高度化している。グループCはエッジコンピューティングで、自動運転や「PCやスマホの次」と言われる領域に必要な半導体です。

私は分かりやすく3つのグループに分けてAI半導体の世界を説明してきたのですが、最近、状況が変わりつつあります。ABCグループの境界がぼやけてきたからです。いろんな企業と散々議論して自分の頭でも検討していくと、将来的に境界はなくなると見ています。例えばAとCが一緒になって革命的な商品ができたり、AとBの境界からイノベーションが生まれたりする。そんなことが起こる。つまり、王者のインテルやエヌビディアが勝ち続ける可能性も、GAFAMが総取りする可能性も、はたまた新しいプレーヤーが現れる可能性だってある。みんな巨大企業が莫大な資本を投下すれば勝つと思っているかもしれないけど、そんな単純な世界じゃない。非常に面白い未来が待っていると思う。

――つまり、ラピダスはABCグループ全てを潜在顧客と捉えていると。

そうです。どこが勝つのかしっかり見極める必要があります。現時点ではどのグループも勝つポテンシャルがある。でも10年後は全く違う勢力図になりますよ。こんな予想をしているのは僕だけかもしれないけどね。

――『半導体戦争』の著者であるクリス・ミラー氏に取材した際、彼はこう言っていました。「ラピダスは半導体微細化のパラダイムが変わることと、専門知識を持たない顧客による設計支援のニーズが増すことの2つに賭けていて、どちらの賭けも正しいと思う」（詳細は第4章のインタビューを参照）。**多品種少量をスピーディーに生産するというビジネスモデルを彼は評価していました。小池社長はこのコメントをどう受け止めますか。**

スピードについて評価してくれるのはありがたいですね。ただ私は「多品種少量」という言葉は使いたくないんですよ。確かに「多品種」はやります。でも「少量」とは限らない。量は顧客が決めることですし、ラピダスは中量にも対応できます。ただ大量生産すると多品種をつくれなくなるので、うちはやりません。それはＴＳＭＣやサムスン電子がやればいい。

――多品種生産を可能にする技術的な鍵はどこになるのでしょうか。

前工程に関して言えば「枚葉処理」です。これは私がずっと取り組んできたことですが、以前と比較して製造技術とプロセスの改善が進んで、製造装置の技術レベルが上がっています。全てを枚葉処理にするなんてことを考えているのは私だけなので、機械は装置メーカーと共同開発しました。

よく現在主流となっているバッチ処理と比較して、枚葉処理はコストパフォーマンスが悪いと言われます。でも、それはトータルコストを考えていない。確かに製造装置はバッチ処理のほうが安い。でも枚葉処理には別の利点があります。

枚葉処理はウエハーを1枚ずつ加工しますが、1枚につき2～3分で終わります。対してバッチ処理は100枚一気に加工できる代わりに5時間程度かかる。つまり枚葉処理のほうが生産サイクルが短い。さらに言えばバッチ処理は一気に加工する分、どこかで在庫を持つ必要がある。枚葉処理はトヨタのカンバン方式と同じでどんどん工程が流れていくので在庫が必要ありません。

データも重要な要素です。枚葉処理は1枚ずつ加工して、そのデータを全て蓄積できる。100枚一気に加工してデータを送る方法に比べて、データ量は100倍になる。AIの世界と同じで、データがたまればたまるほど学習できる。より効率的な生産方法を学べるわけです。我々は膨大なデータによってどんどん生産方法を改善できます。しかもそれを設計者にフィードバックできる。ここまで考えると、コストパフォーマンスで枚葉処理は決して劣っていない。

――私が普段取材している米ビッグテックの担当者も「3ナノメートル以下の製造技術があるなら日本企業と協業したい」とコメントしています。彼らと組む可能性は。

それは極めて重要で、すでに対話は始めています。ＧＡＦＡＭがいて、その向こう側に（クラウドの）エンドユーザーがいて、設計を支援するブロードコムのようなプレーヤーがいる。こうした構造があることも理解しました。ラピダスがスピードに強みがあることを理解してもらい、共通認識のもとで新しいビジネスモデルがつくれると思っています。

インタビューは２０２４年５月に実施した

第 3 章
プ ラ ッ ト フ ォ ー ム

クラウド競争軸一変、「3強」の明暗

[本章に登場する主なプレーヤー]

Google（グーグル）、Amazon Web Services（アマゾン・ウェブ・サービス、AWS）、Microsoft（マイクロソフト）、Meta（メタ）、NVIDIA（エヌビディア）、OpenAI（オープンAI）、Anthropic（アンソロピック）、Hugging Face（ハギングフェイス）、Martian（マーシャン）、CoreWeave（コアウィーブ）、Scale AI（スケールAI）、SecurityScorecard（セキュリティ・スコアカード）、LangChain（ラングチェーン）

※全て米国企業

[キーワード解説]

■クラウドコンピューティング

インターネットなどのネットワーク経由でユーザーにサービスを提供する形態。従来はサーバーなどのハードウエアを購入するのが主流だったが、クラウドの登場によってオンラインでソフトウエアの利用やデータのやり取りが可能になった。クラウド各社は生成AIの開発環境というプラットフォームをサービスとして提供しており、世界シェア1位が米Amazon.com傘下のAmazon Web Services (AWS)、2位が米Microsoft、3位が米Google。

■AI開発プラットフォーム

企業がAIを開発・利用する基盤であり、クラウドサービスを手掛けるプロバイダーが提供している。AWSの「Amazon Bedrock」やMicrosoftの「Azure OpenAI Service」、Googleの「Vertex AI」などが代表格。AIモデルだけでなく、ファインチューニングやAIモデル評価ツールなども提供する。

■インスタンス

クラウドサービスにおける仮想サーバー。クラウド各社はCPU(中央演算処理装置)やGPU(画像処理半導体)のスペックや個数、メモリーの容量などによって複数種類のインスタンスを提供しており、ユーザーは実行したい処理に応じて適切なインスタンスを選択する。

■マネージドサービス

手間のかかるインフラの運用などをサービスとして提供すること。例えば生成AI関連では、各クラウドプロバイダーが、企業の持つデータとの接続やモデルの評価、強化学習などの機能をマネージドサービスとして提供しており、ユーザーがインフラのセッティングをせずに簡易に利用できる。

■クラウドにおけるパートナー企業

クラウドの導入を支援する企業で、クラウドプロバイダーが「パートナー」として認定するのが一般的。サービスの導入前に顧客の要件を調査して設計し、最適なプランを提案する。クラウドサービス導入後の保守や運用を支援する場合も多い。

■システムインテグレーター(SIer)

システム開発の工程を請け負う受託開発企業。システム導入を考えている企業に対してコンサルティング、企画、設計、開発と導入サポート、運用までトータルで請け負うことが多い。海外でも存在する業種だが、ユーザー企業のシステム内製化が進んでいる米国では日本ほど企業数は多くなく、認知度も低い。

生成AI（人工知能）の主戦場はモデルそのものの優劣から、企業が実際のサービスにAIをどう組み込むかという段階に移りつつある。その鍵となるのが、クラウド大手が提供する生成AI開発基盤だ。業績では米マイクロソフト（Microsoft）が一歩リード。米アマゾン・ウェブ・サービス（Amazon Web Services、AWS）と米グーグル（Google）も急速に巻き返している。技術基盤では有力スタートアップも次々に登場する。「次なるプラットフォーマー」は誰か。

マイクロソフト、早くもAI収益化

生成AIの開発プラットフォームを巡る覇権争いに異変が生じたのは、2023年の夏ごろだった。「クラウドの勢力図が変わっているようだ」。筆者が取材を進めると、AIモデルの開発現場からこんな声が聞こえてきた。この噂は、米国の大手クラウド各社の決算で一気に真実味を増すことになった。

「AIによって3ポイントの増収効果があった」。2023年10月、マイクロソフトが開いた2023年7〜9月期決算の説明会で、同社のエイミー・フッドCFO（最高財務責任者）はクラウド基盤「Azure（アジュール）」の好調さがAIに支えられていると分析した。

ChatGPTの公開から1年もたたずに、早くもクラウドにおいて生成AIが収益化の段階に入ってきたのだ。

同社のアジュール（会計区分は「Azureなどクラウドサービス」）の売上高は前年同期比で29％増。アジュールの成長率は、2021年は50％程度で推移していたものの徐々に鈍化し、2022年10～12月期は31％、2023年1～3月期は27％、同4～6月期は26％と推移していた。成長率が上向いたのは9四半期ぶりとなる。

この1～2年でクラウド事業の成長率が鈍化していたのはAWSもグーグルが提供するグーグル・クラウド（Google Cloud）も同じだ。各社は、ユーザー企業が景気減速を懸念して支出を抑制していると分析し、それを「コスト最適化」と表現してきた。例えば、米アマゾン・ドット・コム（Amazon.com）のアンディ・ジャシーCEO（最高経営責任者）は2023年4～6月期の決算説明会で「顧客は2022年来、困難な時期を耐えるコスト最適化に取り組んでいる」とし、AWSの成長鈍化の原因が外部環境にあるとの認識を示していた。

この文脈で、アジュールの成長率が再び上向いたことは、クラウド業界におけるある種のサプライズだったと言えるだろう。その大きな要因がAIのニーズだった。

まず、生成AIとクラウドの関係について振り返っておこう。企業が社内の生産性向上や自社サービスで生成ＡＩを導入する場合、その形態は大きく３種類ある。１つは、ＡＩモデルを自社のオンプレミス環境に導入する形態だ。オンプレミスとは、サーバーやソフトウエアなどの情報システムをユーザーが自ら管理する設備内に設置して保有・運用することを指す。データが自社施設内で完結することから、セキュリティー上は有利とされる。

この場合、ＡＩモデルはゼロから自社で構築するか、ソースコードが公開されているオープンソースモデルを利用してカスタマイズすることになる。構築するだけでなく、その保守やモデルソースの更新なども必要で、社内に専門家集団を抱えるか、外部企業に委託する必要がある。専門家は「完

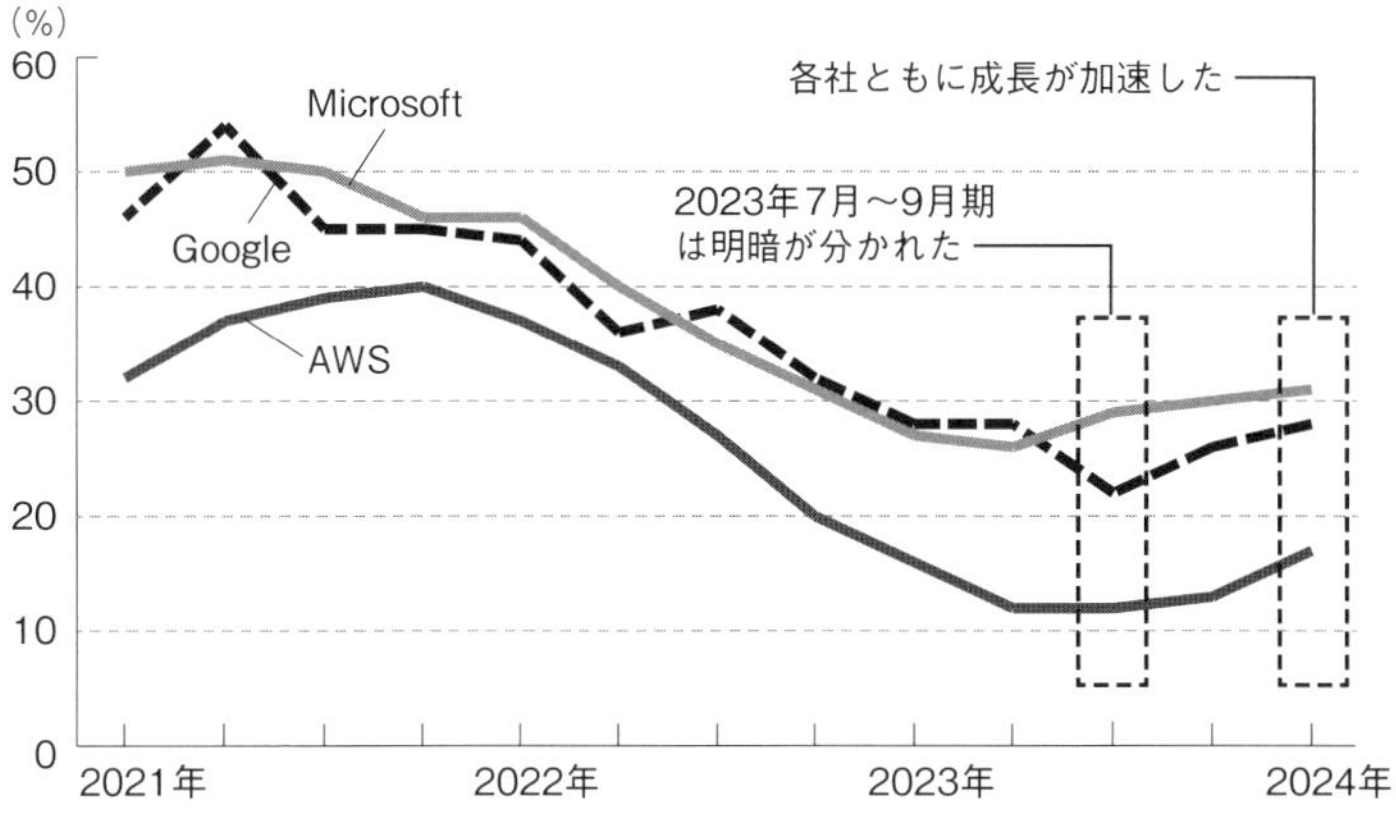

クラウド３強の売上高成長率の推移。足元ではマイクロソフトが一歩リードしている。マイクロソフトの成長率は「Azureなどクラウドサービス」で算出
（出所：各社の資料を基に筆者が作成）

全にオンプレミスで生成ＡＩサービスを構築できる企業は日本にはほぼいない」と指摘する。

２つめは、自社で開発した社内システムを使う点は同じだが、ＡＩモデルは米オープンＡＩ（ＯｐｅｎＡＩ）などの外部企業が提供するものをＡＰＩ（アプリケーション・プログラミング・インターフェース）経由で利用する方法だ。機能を外部から呼び出すことでＡＩの機能を利用するパターンで、セキュアな仕組みを構築すれば安全性も担保できる。この方法も社内システムを構築するという点でコストがかかり、外部のＡＰＩに対する安全性への懸念も残る。

最後の３つめが、クラウドを通して生成ＡＩサービスを利用する方法だ。例えばマイクロソフトの「Azure Open AI Service（以下、アジュール・オープンＡＩ）」はオープンＡＩの大規模言語モデル（ＬＬＭ）をアジュールのプラットフォーム上で利用できるサービス。こうしたサービスを利用することで、クラウド経由で生成ＡＩのＬＬＭを利用できる。

クラウド経由の生成ＡＩ利用が便利なのは、クラウド各社がモデルのカスタマイズや、クラウド上のデータや各種クラウドサービスとの連携を独自機能として備えていることだ。自前でこうした機能を構築するにはコストと手間がかかる。データをクラウドに置くことに対するハレーションが企業には残っているものの、より簡易に生成ＡＩを試せる環境として、「大多数の企業ユーザーはクラウドサービスを使って生成ＡＩを試している状態だ」（日立製作所デジタルシステム＆サービス統括本部の鮫嶋茂稔CTO＝最高技術責任者)。

企業ユーザーが生成AIを利用する際にクラウドはいまや不可欠となっており、裏を返せば生成AIに関する機能がそのクラウドサービスの価値を決める競争軸として浮上しているわけだ。

この競争軸でも、オープンAIと提携したマイクロソフトが先行した。同社はアジュール・オープンAIの一般利用を2023年1月に開始。LLM「GPT-4」などをAPI経由で利用できる唯一のクラウドベンダーとして、企業と市場から注目を集めている。

アジュール・オープンAIによる増収効果をマイクロソフトは開示していないが、同社幹部は「実際にこのサービスを目当てに契約するユーザー企業もいる」と明かす。事実、同サービスのユーザー企業は1万1000社(2023年6月末時点)から1万8000社(同9月末時点)に急増。サティア・ナデラCEOも決算説明会でアジュールの好調ぶりについて「AIによる新たなワークロードの開始がアジュールの数字を押し上げる要因になっている」と分析した。

「我々は、マイクロソフトがクラウドとAI(でのシェア)で、今後3年間で全世界のインストールベースの50%に達するという大きなチャンスの入り口にいると考えている。7～9月期は明らかに市場の大部分を獲得した」。テック業界を長年ウオッチしてきたウェドブッシュ証券（Wedbush Securities）のアナリスト、ダニエル・アイブス氏はこう評価した。

「グーグルは期待外れ」

一方、2023年7〜9月期でマイクロソフトと明暗を分けたのがグーグルだった。「アジュールの成長率が26%から29%に回復したことを考えると期待外れだった」。シンガポールの金融大手、フィリップキャピタル（PhillipCapital）は米アルファベット（Alphabet、グーグルの持ち株会社）の2023年7〜9月期決算を受けたリポートでこう指摘した。グーグルのクラウド事業「グーグル・クラウド」の売上高は84億1100万ドルで、売上高成長率が前の期の28%から22%に低下したからだ。アジュールとは対照的な結果となった。

グーグルのスンダー・ピチャイCEOは決算説明会で「クラウドに関しては（引き続き）顧客が支出の最適化を求めている。ただし安定化の兆しは見えており、この先については楽観的だ」とコメント。この発言にアナリストからは「安定化の兆しは7〜9月期に見えたのか。競合より遅れてその現象を確認したのだとすると、その理由は何か」と厳しい質問が飛んだ。

グーグルのルース・ポラットCFOは質問には直接応じず、「クラウドの成長率はクラウド市場全体の成長率を上回っており、大きな手応えを感じている」と回答。成長率が鈍化した原因については明確にしなかった。

グーグルはAI開発基盤である「Vertex AI（バーテックスAI）」を提供し、2023年8月にはマネージドサービスを多数発表。企業内データの検索やチャットボットの組み込み機能など、企業が生成AIをアプリに導入するための仕組みを取りそろえて攻勢をかけるが、この時点では成長率を伸ばすほどの顧客獲得には至っていなかったようだ。

市場の見方は厳しかった。「グーグルクラウドはアジュールにシェアを譲ったようだ」。米キーバンク・キャピタル・マーケッツ（KeyBanc Capital Markets）はこう分析し、アルファベットの目標株価を引き下げた。ウェドブッシュ証券のアイブス氏は「クラウドのためにアルファベット株を保有することは、（元プロバスケットボール選手である）マイケル・ジョーダンの野球を応援するようなものだ」と皮肉った。

一方、アナリストには異なる見方もあった。米証券会社ニーダム（Needham）のローラ・マーティン氏はグーグルが発表した2つの数字に注目した。1つは世界の大企業1000社のうち60％以上が顧客であること、もう1つは資金調達中の生成AIスタートアップの半数以上が利用していることだ。「この2つは、生成AIにおけるグーグルの戦略的なポジショニングがクラスで最高であることを意味している」とマーティン氏は指摘。成長率こそ落ち込んでいるが、成長に疑いはないとする立場を取る。

　2023年7〜9月期に成長率が回復したマイクロソフトと鈍化したグーグル。2社の明暗が分かれた格好だが、シェア世界首位であるAWSの業績については市場の見方が割れた。アマゾンの営業利益の大半を稼ぐAWSは、2023年7〜9月期の売上高が前年同期比12%増の230億5900万ドルとなった。売上高成長率は過去最低だった2023年4〜6月期の12%から変わらず、足踏みした形だった。

　この足踏みに対して、アナリストの判断は二分した。「AWSは依然としてマクロ経済

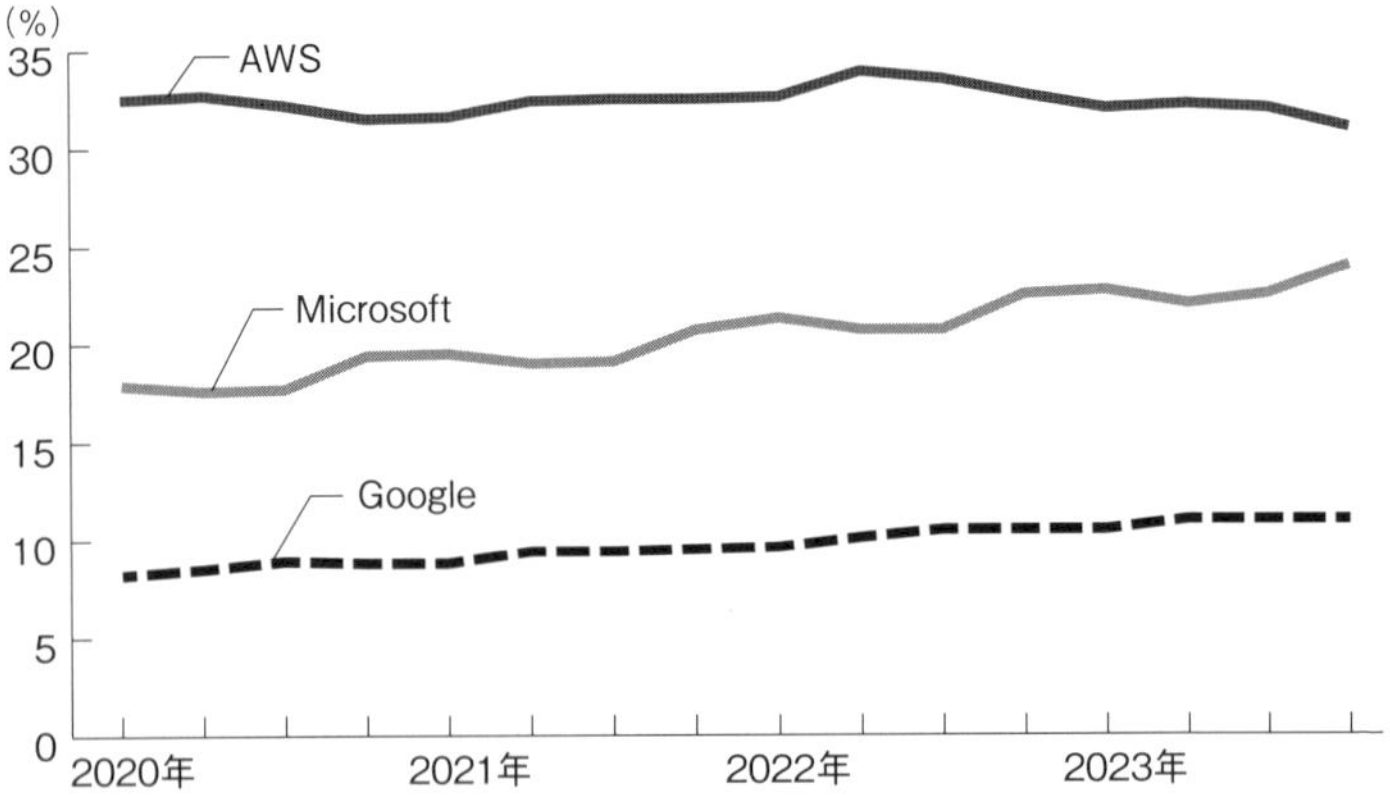

クラウド3強の市場シェア推移。AWSのシェアはいまだ頭ひとつ抜けている
(出所：米シナジー・リサーチ・グループ)

の影響を受けている」というネガティブな評価がある一方で、潜在力の大きさを指摘する声もあった。AWSは生成AIサービス「ベッドロック」の一般提供を2023年9月末に始めたばかりだった。ベッドロックなどの生成AI関連技術はこの四半期の業績には反映されていない。米国みずほ証券のアナリスト、ジェームズ・リー氏は「AWSの強力なエコシステムと生成AIの市場アプローチは市場に十分に理解されていない。生成AIが（オンプレミスからの）クラウド移行のスーパーサイクルを促進する。AWSはソリューションサービスなどに強みがある。構造的な恩恵を受けるはずだ」と見る。

アマゾンのジャシーCEOは「生成AIが今後数年間で数百億ドルの収益をAWSにもたらす」とコメント。米投資銀行のDAダビッドソン（D.A. Davidson）はリポートで「生成AIを搭載したAWS製品が様々な業界で採用され始めている」とし、「2026年には100ベーシスポイント（1%に相当）の売上高を（アマゾンに）もたらす可能性が高い」と予測した。

AWSの12%という成長率は、確かにアジュールの29%やグーグル・クラウドの22%に比べると見劣りしていた。一方で専門家は数字のトリックを指摘する。「それは数学の問題に起因している」。米調査会社シナジー・リサーチ・グループ（Synergy Research Group）のチーフアナリスト、ジョン・ディンズデール氏はこう話す。AWSの市場シェアはいまだ頭ひとつ抜けている。「AWSはマイクロソフトとグーグルよりはるかに規模が大きいため、成長率を維持するのは難しい」（ディンズデール氏）からだ。同社の調査では、2023年7〜9月期のクラウドインフラ世界シェアはAWSが32・0％（前期比0・2ポイント減）、マイクロソフトが22・5％（同0・5ポイント増）、グーグルが11・0％（同±0）だった。

王者AWSの逆襲、グーグルの反撃

2024年に入って、王者AWSの潜在力が明らかになってきた。2024年1〜3月期の決算でアマゾンの営業利益は過去最高を更新。市場にとってサプライズだったのは、営業利益の大半を稼ぐAWSの強さだった。売上高は前年同期比17％増の250億3700万ドルと、市場予想を大きく上回った。QUICK・ファクトセットの集計による市場予想は同15％増の245億6900万ドルだった。売上高成長率は前の四半期の13％から4ポイント上昇している。

AWSの成長率（為替変動の影響を除く）はこの1年、16％（2023年1〜3月期）、12％（同4〜6月期）、12％（同7〜9月期）、13％（同10〜12月）と推移し、成長にかげりが見えていた。前述の通り生成AI領域での出遅れも指摘されていたが、挽回が鮮明となった格好だ。ＡＷＳとして初となる年間売上高１０００億ドルも視野に入ってきた。

アマゾンのジャシーＣＥＯはオンライン説明会で「ＡＩにはかなりの勢いがあり、すでに数十億ドルの収益が積み上がっている」とコメントした。王者の逆襲が始まった。

ＤＡダビッドソンのギル・ルリアアナリストは次のように見る。「ＡＷＳは早期の信用を得られなかったかもしれないが、（ベッドロックなど）多様なＡＩサービスを提供するとともに、主要なモデル提供者との提携によって同業他社に対抗する能力を十二分に発揮している」。

２０２３年7〜9月期の業績でアナリストから「期待はずれ」と指摘されたグーグルの挽回も著しい。クラウド事業の売上高成長率は２０２３年10〜12月期が26％、２０２４年１〜3月期が28％と持ち直している。1〜3月期の成長率は市場予想を2ポイント上回った。「アルファベット終焉《しゅうえん》の噂は非常に誇張されている」。クラウドを含めたグーグルの底堅い成長について、ウェドブッシュ証券のアイブス氏はこうコメントした。

大手3社の成長率は、マクロ経済の影響を受け始めた２０２２年後半の数字に戻りつつある。業績改善はＡＩ需要に支えられたクラウド市場の拡大が後押ししているわけだ。シナジーリサーチの試算では、２０２４年1〜3月期のクラウドインフラ市場は世界で７６０億ドルを超え、前年同期から１３５億ドル（21％）増加した。２四半期連続で成長率が著しく改善した計算だ。同社は2022年後半から2023年を「外部要因によって成長率が異常に低かった」と分析している。「AIによる成長の再加速」がクラウド市場全体のトレンドだと言えるだろう。

「3社の注力分野は若干異なるものの、それぞれ強力なセールスポイントを持っている。今後、AIがクラウドの市場規模とシェアにますます大きな影響を与えるのは明らかだ」。シナジー・リサーチのチーフアナリスト、ディンズデール氏はこう語る。生成AIのニーズをクラウド成長再加速の起爆剤としてうまく活用できるかは、各社の技術と経営の手腕にかかっている。

エヌビディアがAIクラウドに殴り込み

「意外な場所からライバルが現れたという印象を持っている」。米国のあるクラウド企業のエンジニアはこう打ち明ける。突如出現したライバル企業とは、半導体大手の米エヌビディア（NVIDIA）。同社は2023年7月、AIモデルの学習用インフラをクラウドベースで提供する「DGXクラウド」の一般提供を開始。「クラウド事業者」となったのだ。

生成AIが変えるクラウドの勢力図。変わるのはクラウド3強をはじめとする既存プレーヤーの力関係だけではない。エヌビディアのように、AI関連技術を武器にクラウドサービスに新規参入する企業も現れ始めている。英印などの市場調査会社ザ・ビジネスリサーチカンパニー（The Business Research Company）は2023年11月に発表した「クラウドAI世界市場リポート」で、DGXクラウドをこの市場の革新的な動きの最たる例として挙げた。

前出のエンジニアがライバルの出現を「意外な場所から」と形容した背景には、エヌビディアと大手クラウド各社の複雑な関係性が横たわる。第2章で見た通り、エヌビディアはAIの学習や推論に欠かせないGPU（画像処理半導体）の世界最大手。AI向けプロセッサー市場に限れば、世界シェアは8割とも言われる。

エヌビディアはクラウド各社にGPUを多数供給しており、クラウド大手はいわば「お得意様」だ。エヌビディアでAI向け半導体などを担当するデイヴ・サルヴァトール ディレクターは「我々の（AI関連の）ビジネスの半分以上がクラウド向けだ」と語る。大手クラウドからすれば、長年のパートナーが急に競合となり得るサービスを始めたことになる。

この関係は、2010年代中盤に注目を集めた自動車会社と米ウーバーテクノロジーズ（Uber Technologies）などライドシェア各社との関係性を彷彿《ほうふつ》とさせる。当時、ドイツのダイムラー（Daimler、現在のメルセデス・ベンツグループ）は自動運転車の開発でウーバーと提携しながら、自社でもタクシー配車アプリを展開。この「仲間（フレンド）」でもあり「敵（エネミー）」でもある状態を、ダイムラーのディーター・ツェッチェ社長（当時）は「フレネミー」という造語で表現した。

ただし、クラウド大手とエヌビディアの間には、「敵」とも言い切れない事情がある。DGXクラウドは大手クラウド各社のデータセンター内のサーバーを利用しているからだ。エヌビディアがクラウド各社からサーバーをレンタルし、自社顧客にGPUクラウドとして提供しているわけだ。クラウド大手にとってエヌビディアは依然としてクラウドを利用する顧客であり、この点で、両者がパートナーであるという点に変わりはない。

DGXクラウドは、エヌビディアが「DGXプラットフォーム」と呼ぶAI開発基盤に含まれるサービスだ。DGXクラウドなどの関連システムを統括するチャーリー・ボイル副社長はクラウド戦略を次のように説明する。

「戦略はシンプルだ。DGXは8年ほど前にスタートしたが、その時点で顧客の多くはデータの大半を置く自社のデータセンター上でAIを開発したいと考えていた。今は多くの顧客がクラウド上で開発をしており、（DGXを使った）同様の体験をしたいと我々に要望してきた。私たちは顧客のためにクラウドに付加価値を付けているのだ」

ボイル副社長が言うように、DGXクラウドはエヌビディアのAI技術をクラウドを通して提供するものだ。最先端のＧＰＵを搭載したインスタンスはもちろん、開発者向けのＡＩワークフロー管理用ソフトウエア・アズ・ア・サービス（ＳａａＳ）も展開。エヌビディアのＡＩエキスパートによる技術支援も受けられる。ＡＩ学習用の総合サービスと言える。

「ＤＧＸクラウドで学習させたＡＩモデルは、どのクラウドにもオンプレミスにも簡単に展開できる。特定のインフラにしばるようなことはしない」。ボイル副社長はＤＧＸクラウドの独自性をこう説明する。「インスタンスの複雑なセットアップも不要なため、ＡＩを開発する企業がインフラ周りで心配する必要は何もない」（ボイル副社長）

ＧＰＵ「Ａ１００」を利用する場合の料金は月額３万６９９９ドルからで、クラウド大手のＧＰＵインスタンスよりも割高だが、ユーザーは世界中で枯渇しているＧＰＵサーバーにすぐにアクセスできるというメリットもある。

サーバーをレンタルして自社のＧＰＵクラウドとして貸し出す変則スキームに、当初、大手クラウドの判断は割れた。米オラクル（Ｏｒａｃｌｅ）、グーグル、マイクロソフトの３社はすぐにエヌビディアの提案に乗った。２０２３年3月にエヌビディアがＤＧＸクラウドを発表した時点で3社は既にパートナーとなっており、同11月時点でオラクルのクラウドサービスを利用したサービスが始まっている。

一方、クラウド最大手のＡＷＳは当初、パートナーに加わっていなかった。

「クラウドは敵ではない」と反論

米メディア「ジ・インフォメーション」はAWSが当初、加わっていなかったことについて「(他の3社とは異なり) AWSはエヌビディアの提案を拒否した」と報じた。エヌビディアのボイル副社長は2023年10月時点で、筆者に対し「(オラクルなど) 3社以外にコメントすることはないが、AWSとの関係は変わらない。素晴らしいパートナーだ」と強調していた。その後、2023年12月にAWSもDGXクラウドの提供を発表した。これで大手全てがエヌビディアのクラウドサービスを支えるパートナーになった。

複数の米クラウドベンダー関係者によれば、エヌビディアはDGXクラウドのパートナー拡大に向けて既に動き始めている。「小規模なクラウドベンダーにも声をかけているようだ」(米中堅クラウドベンダーのエンジニア)。

エヌビディアがクラウド各社のサーバーをレンタルしてGPUクラウドを提供している限り、パートナーであるという関係性は変わらない。ただし、エヌビディアが自社のデータセンターでDGXクラウドを運用するなら話は別だ。

ボイル副社長に「エヌビディアの自社データセンターで運用する可能性はあるか」と問うと、「我々のクラウド戦略はクラウド事業者と提携して市場に投入するというものだ。研究開発のために自社データセンターで運用することはあるが、商用製品については全てパートナー経由で提供する」と強く否定した。

生成AIはクラウドの新たな競争軸の1つに浮上している。競争軸が増えれば市場への新規参入も当然増える。エヌビディアの動きは、クラウドビジネスが新たな局面に入ったことを象徴している。

オープンAIとの提携を武器に、生成AI開発サービスであるアジュール・オープンAIサービスで一気に2023年9月までに1万8000社の顧客を獲得したマイクロソフト。既に業績にもAIが貢献し始め、Azureの売上高を押し上げるまでになった。同社はオープンAIのLLM「GPT-4」などの独占クラウドプロバイダーとして、そのモデルに強みを持つという特徴がある。

「オープンAIの最先端モデルをアジュールでしか使えないということが実際に差異化となっている。2019年に協業して以来、我々もAI学習・推論用にインフラを最適化してきた。その結果として、1日100社以上の企業に契約してもらっている」。2023年10月にマイクロソフトのCMO（最高マーケティング責任者）に就いた沼本健氏（取材時はコーマーシャルCMO）は、アジュールに対するニーズをこう分析する。

２０２３年11月には、顧客企業が自社のアプリに生成ＡＩを導入するための開発基盤でも新機能・サービスを追加し、さらに生成ＡＩ基盤を大幅に強化した。生成ＡＩサービス「Azure AI Studio（アジュールＡＩスタジオ）」に新機能「モデル・アズ・ア・サービス（ＭａａＳ）」を追加すると発表。ＬＬＭへのアクセスをＡＰＩで提供し、開発者がＡＩアプリを簡易に構築できるようにする機能で、名称通りＡＩをサービスとして利用できる。ＡＷＳのベッドロックに近い機能と言える。

米メタ（Ｍｅｔａ）の「Ｌｌａｍａ ３（ラマ３）」やフランスの新興企業ミストラルＡＩ（Mistral AI）のＡＩモデル、アラブ首長国連邦のＧ４２が提供するアラビア語のＬＬＭなどがＭａａＳのラインアップに加わる。

エヌビディアのＡＩ関連サービスをアジュール上で利用できる新サービスも開始した。ＡＰＩ経由でＬＬＭをカスタマイズできるサービスや、ＡＩ向けフレームワークとツール群、そして前述したＤＧＸクラウドが利用可能になる。

ＧＰＴ-４などの強力なＬＬＭが武器だったマイクロソフトの生成ＡＩ開発基盤。「ＧＰＴ-４ターボ」などを追加して強みをさらに伸ばし、第２章で解説した独自開発チップ「Ｍａｉａ（マイア）」と開発ツールの増強で弱みとされる領域を埋める計画だ。開発基盤で先行するマイクロソフトは、さらなる一手でライバル２社を引き離そうとしている。

圧倒的な知名度を持つＣｈａｔＧＰＴと、その基盤モデルとしてのＧＰＴ－４。アジュールが得た武器であるＡＩモデルがユーザー企業から評価を得るなか、競合であるグーグル・クラウドやＡＷＳはどう対抗するのか。２社の戦略を読み解いてみよう。

ＡＩ提供企業でもあるグーグルの強み

グーグル・クラウドの強みは、グーグル自身が生成ＡＩを開発・提供する企業でもあるという点にある。「Ｇｅｍｉｎｉ（ジェミニ）」などのＬＬＭを開発し、自ら対話型ＡＩや生成ＡＩによる文書作成などの支援ツールを市場投入済み。それでいて、顧客企業がＡＩを開発する基盤も提供する。生成ＡＩをスポーツで例えるなら、グーグルはプレーヤーでありながら、プレーヤーを育成するマネジャーを兼務しているわけだ。

開発の勘所を知るという強みが、機能・サービスのラインアップにも表れている。グーグルのＡＩ開発基盤バーテックスＡＩは、インフラのセットアップなどを不要とするマネージドサービスが特徴。「自ら（生成ＡＩに関する）能力を開発し、その能力を顧客が使えるようにした」。グーグルのクラウド部門でバーテックスＡＩの製品開発を担当するシニアディレクター、ウォーレン・バークレー氏はこう解説する。

この強みを象徴する機能が、2024年4月に発表した「エージェントビルダー」だ。「エージェント」とは生成AIがユーザーを支援する機能の総称である。企業が生成AIによるサービスを構築するための機能だ。

生成AIを使って新たなサービスを構築したい企業にとって、2023年は試行錯誤の年だった。実現可能性を検証し、2024年以降はそれを実際のサービスとして開発する段階に移行している。「PoC（概念実証）から実践に移る上で、アプリをどう安全に提供できるかを顧客は検討している」。グーグル・クラウド・ジャパンでテクノロジー部門統括技術本部長を務める寳野雄太氏は現状をこう説明する。

まず課題となるのは、生成AIがもっともらしく誤った情報を出力する「ハルシネーション（幻覚）」をどう低減するか。生成AIが持たない知識や最新の情報、顧客のみが持つデータを参照することで幻覚を防ぐ技術に注目が集まっている。これを「グラウンディング」「RAG（検索拡張生成）」と呼ぶ。

グーグルはエージェントビルダーに「グーグル検索」によるグラウンディング機能を追加した。AIモデルの回答に対してグーグル検索の結果とそのリンクを提供することで、回答の誤りを防ぐものだ。グーグル・クラウドのトーマス・クリアンCEOは同社の年次イベントで「(グーグル検索は）世界の知識を深く理解した、世界で最も信頼できる情報源だ。ハルシネーションが大幅に減少する」と強調した。世界シェア90％以上の検索エンジンを持つという同社の強みを生成ＡＩで活用する技術と言える。

企業の自社データを使ったグラウンディング機能も備える。例えば、一般的な生成ＡＩに「今日の商談相手であるA社の課題は何ですか」と聞いたとしよう。ウェブを基にした一般的な情報しか持たない場合、「B事業の業績が悪化している」「離職率が高い」などの回答となる。一方で、これまでの商談の議事録などのデータが接続されていれば、「〇月の商談の際には、来年度の若手の研修方法を検討していた」といった回答が可能になる。

グーグルの特徴は、こうしたグラウンディングを、エンジニアによる開発がいらない「マネージドサービス」として提供していること。他にも、ＡＩモデルをファインチューニング（追加学習）したり強化学習したりする機能、その評価を担う機能などをフルマネージドで提供する。「我々は長い時間をかけて、

	AWS	マイクロソフト	グーグル
生成AI開発基盤	Amazon Bedrock Amazon SageMaker	Azure OpenAI Sevice Azure AI Studio	Vertex AI
主なAIモデル	Amazon Titan（自社） Claude（アンソロピック）	GPT-4（オープンAI）	Gemini（自社） Claude（アンソロピック）
特徴	総合力に強み。クラウド特化の生成AI支援サービス「Amazon Q」も追加	オープンAIの独占クラウドプロバイダー。顧客獲得では1歩リードか	AI開発企業であることを生かしたマネージドサービスに強み

AWS、マイクロソフト、グーグルの生成AI開発基盤の比較
（出所：各社の資料と取材を基に筆者が作成）

モデルを改良するために何が重要かを学んできた。オープンソースソフトウエア（ＯＳＳ）などのモデルに対してもファインチューニングなどを実行できる点に特徴がある」（バークレー氏）

従来の強みであったデータ分析ツール「ＢｉｇＱｕｅｒｙ（ビッグクエリー）」との連携もグーグルの魅力だ。生成ＡＩを使ったデータ分析などが可能になる。例えば、バーテックスＡＩで選んだＡＩモデルを利用して、データを移行することなくテキスト分析を実行できる。

ＡＩモデルに関しても第１章で見た通りグーグルの逆襲が始まっている。２０２３年秋までは日本人ＡＩエンジニアからも「バーテックスＡＩは選べるモデルの数は多いが本命がいない」との評価があった。だがジェミニの投入でＧＰＴ‐４と遜色ないレベルとなっており、プラットフォームとしての存在感が増している。クリアンＣＥＯは筆者などの取材に対し「ファーストパーティー、サードパーティー、オープンソースのモデルが利用できるクラウドはグーグルだけだ」と強調した。

キーバンク・キャピタル・マーケッツのアナリスト、ジャスティン・パターソン氏は「投資家は（グーグルの持ち株会社である）アルファベットがＡＩから恩恵を受ける企業だと既に認識しており、焦点は今後の展開に移っている」と分析する。同氏が次の焦点として挙げるのが、ＡＩの収益貢献性だ。

グーグルは生成ＡＩに関して「自前主義」を貫いている。米マイクロソフトはオープン

AIと資本業務提携し、GPT-４などのAIモデルをオフィスツールやクラウドなどに導入。アマゾン・ドット・コムは自社でもモデル開発に注力しながら、米アンソロピック（Anthropic）に出資してAI向け半導体開発などで協業する。

一方でグーグルは、一部AIスタートアップなどに投資しているものの、AIモデルや開発基盤などについて基本的に自社開発にこだわっている。「兵たんが伸びすぎているきらいはある」（米国のアナリスト）との指摘はあるものの、オープンAIが〝お家騒動〟でガバナンスの不備を露呈したように、他社との協業はリスクもはらむ。

自社開発でプラットフォームからAIモデル、その上で動作するアプリケーションまで垂直統合すれば、自社の主力事業へAIを素早く導入できるというメリットがある。例えばグーグルはAIモデル「ジェミニ」を使った対話型AIサービスの名称もジェミニに統一し、モデルとサービスを一体で提供する方針だ。ユーザー企業がAIを利用するのに欠かせないクラウドにも前述の通りジェミニを投入して競争力強化を図る。

全方位の自前主義を貫くことは、リソースが分散することで競争上不利になるリスクも抱える。「24年は（ニュースなどの）見出しよりも、結果が重要になる」。パターソン氏はこう指摘する。米巨大テック企業による生成AI競争は、純粋な技術面から自社ビジネスにどう展開するかという事業面に移行していると言える。

「徹底した顧客志向」のＡＷＳ

これまで「徹底した顧客志向」を是としてきたクラウド世界シェアトップのＡＷＳは、生成ＡＩ関連サービスでもその姿勢を崩していない。自分たちの方針を押し通すのではなく、顧客のニーズがある機能やサービスを提供するというスタンスを象徴するのが、ＡＷＳの生成ＡＩサービス「ベッドロック」だ。

ベッドロックは、従来ＡＷＳが提供してきた機械学習基盤「Amazon SageMaker（以下、セージメーカー）」よりさらにＡＩの利用を簡易にするプラットフォームだ。セージメーカーがＡＩモデルを自社でゼロからスクラッチ開発する層に向けたものだとすると、ベッドロックは手軽に生成ＡＩアプリケーションの構築を試してみたいと考えるユーザーに最適化されている。厳選された基盤モデルをＡＰＩで利用できるマネージドサービスで、専門家以外でも比較的簡単に操作できる。

２０２３年9月に提供を開始すると、ファインチューニングやRAG、ＡＩモデルを評価する機能などを矢継ぎ早に投入。２０２３年11月にＡＷＳが開いた年次イベントで、同社のアダム・セリプスキーＣＥＯは「数回クリックするだけで、極めて個別具体的な生成ＡＩアプリケーションを構築できる」と強調した。

「あらゆるビジネスの中核に、可能な限り簡単かつ安全に生成ＡＩを導入できる方法を目指して設計した」。ＡＷＳで製品担当副社長を務めるマット・ウッド氏はベッドロックの思想をこう説明する。顧客のニーズに応じて選択肢を増やすという点でＡＷＳらしいサービスと言える。

ベッドロックの基盤モデルは２０２４年４月時点でアマゾンを含む7社が提供するほか、企業が独自データでカスタマイズしたＡＩモデルを追加できる機能も発表済みだ。ラインアップされたモデルはＡＷＳがそれぞれの分野から最高のモデルを選んでいるという。中でも、オープンＡＩのライバルと目されるアンソロピックが提供する「Ｃｌａｕｄｅ ３（クロード３）」は、第１章で見た通り「ＧＰＴ-４を凌駕《りょうが》する性能を持つ」と評価されるＬＬＭだ。

アマゾンはアンソロピックに対して合計で40億ドルを出資している。アンソロピックはＡＷＳを「主要クラウドプロバイダー」とし、ワークロードの大部分をＡＷＳ上で実行する。ＡＷＳが提供する２種類のＡＩチップを使用し、ＡＷＳのクラウド上で将来の基盤モデルの構築やトレーニング、デプロイを行う。ＡＩチップの開発でも協業する。

両社はベッドロックへの独自機能追加でも提携する。アンソロピックの共同創業者であるジャレッド・カプラン氏は筆者に対し、「(アンソロピックは) ベッドロックのサポートを強化し、企業向けにセキュアなカスタマイズとファインチューニングを提供する」と回答。マイクロソフトがGPT-4などに特化したサービスを手掛けているように、AWSもクロードに関連した新機能を今後も打ち出していく可能性が高い。

AWSのウッド副社長は、セキュリティーやデータガバナンス、独自半導体などAWSが構築してきた開発環境も強みとして挙げる。「チップとデータ、モデルの全てがAWSに集約されている」。クラウド最大手としての総合力がベッドロックでも生かされていると言えるだろう。

AWSのもう1つの戦略は、これまで同社が培ってきたクラウドに対する知識を生成AIに学習させることで、「クラウド特化」のアシスタントを構築するものだ。2023年11月に新しいアシスタントサービス「Amazon Q」を発表。企業向けに特化し、AWSの各種クラウドサービスを熟知したエキスパートとしての顔や、自社データを使ってカスタマイズできるビジネスエキスパートとしての顔などを持つ。

AWSのセリプスキーCEOはQを発表したイベントで、「AIチャットアプリケーションは消費者にとって便利だが、多くの場合、一般的な知識だけでは業務は機能しない」と述べ、競合のAIアシスタントサービスとの差異化を強調した。例えばマイクロソフトはAIによるアシスタント機能「Copilot（コパイロット）」を文書作成や計算ソフトに導入し、グーグルも同種のサービスを展開している。これらは一般的な知識を学習しており、ビジネスパーソンが広く利用できるものだ。これに対してQはクラウドに特化し、エンジニアなどの生産性向上を狙う。

「Amazon Q」の実力

セリプスキーCEOはQを使った4種類の用途を紹介した。第1は開発者を支援する機能だ。「AWSが持つ17年分の経験でAIをトレーニングした」と言う通り、QはAWSの各種サービスを熟知し、開発者によるAWS上でのアプリケーションの構築を支援する。

基調講演では、「ゲーム用途で映像のエンコードなどをする際に、最も高いパフォーマンスを発揮するインスタンス（仮想マシン）は？」と質問すると、Qが具体的なインスタンスの名称と理由を解説するデモを披露した。

AWSによれば、「生成AIサービスであるベッドロックについて教えてください」といったサービス概要に関する単純な質問や、構築しようとしているアプリケーションに対する最適なサービスを見つける用途などで利用できるという。コンソール画面にQを立ち上げるボタンが追加され、設定にエラーが生じた際などに修正方法などを提示する。セリプスキーCEOは「Qが顧客のトラブルシューティングなどの最適化にかかる時間を大幅に短縮できる」と期待を込めた。

第2の用途は、マーケティングや営業、人事、総務など各種の専門職を支援するアシスタント機能だ。Qは、ユーザー企業の自社データと接続してカスタマイズが可能。AWSのクラウドストレージをはじめ、Dropbox（ドロップボックス）やGoogle Drive（グーグルドライブ）、Microsoft 365（マイクロソフト365）、Salesforce（セールスフォース）など40以上のサービスと連携できる。社内データと接続することで、「ロゴの使用に関する最新のガイドラインを教えてほしい」といった自社に特化した指示に回答できる。文書の要約やメールの下書きといった業務支援機能も持つ。

Qを既存のAWSのサービスに組み込んで利用するサービスも追加した。セリプスキーCEOが紹介した第3の用途は、ビジネスインテリジェンス（BI）ツールとの統合だ。AWSの可視化ツール「Amazon QuickSight」にQを組み込むことで、自然言語によるデータの分析や可視化が可能になる。画面から「どのエリアの売り上げが最も高いか」と質問すると、単純に最も高いエリアを答えるだけでなく、売上高ランキングを棒グラフで表示したり、売上高を地図上に円の大きさで示したりできる。「直近の1カ月でビジネスにどのような変化があったか理由を教えてほしい」という指示に対しては、参照可能なデータを基に仮説を提示する。

第４はコールセンター機能への組み込みだ。ＡＷＳの既存サービス「Ａｍａｚｏｎ Connect」は自動受付システムなどをクラウド上に構築・運用できる機能。Ｑを組み込むことで従来と比べて幅広い提案などができるようになる。Ｑがコールセンターのオペレーターと顧客との会話をリアルタイムで分析し、顧客が抱えている問題を検出。オペレーターによる回答や対応の候補、関連情報へのリンクなどを提供する。指導役の支援なしに顧客ニーズに対応できるため、コストを削減しながら顧客満足度を向上できるという。

ＡＩ開発能力を生かしたマネージドサービスのグーグル・クラウドと、顧客志向と総合力で巻き返すＡＷＳ――。生成ＡＩ開発プラットフォームに関連した機能は日々進化し

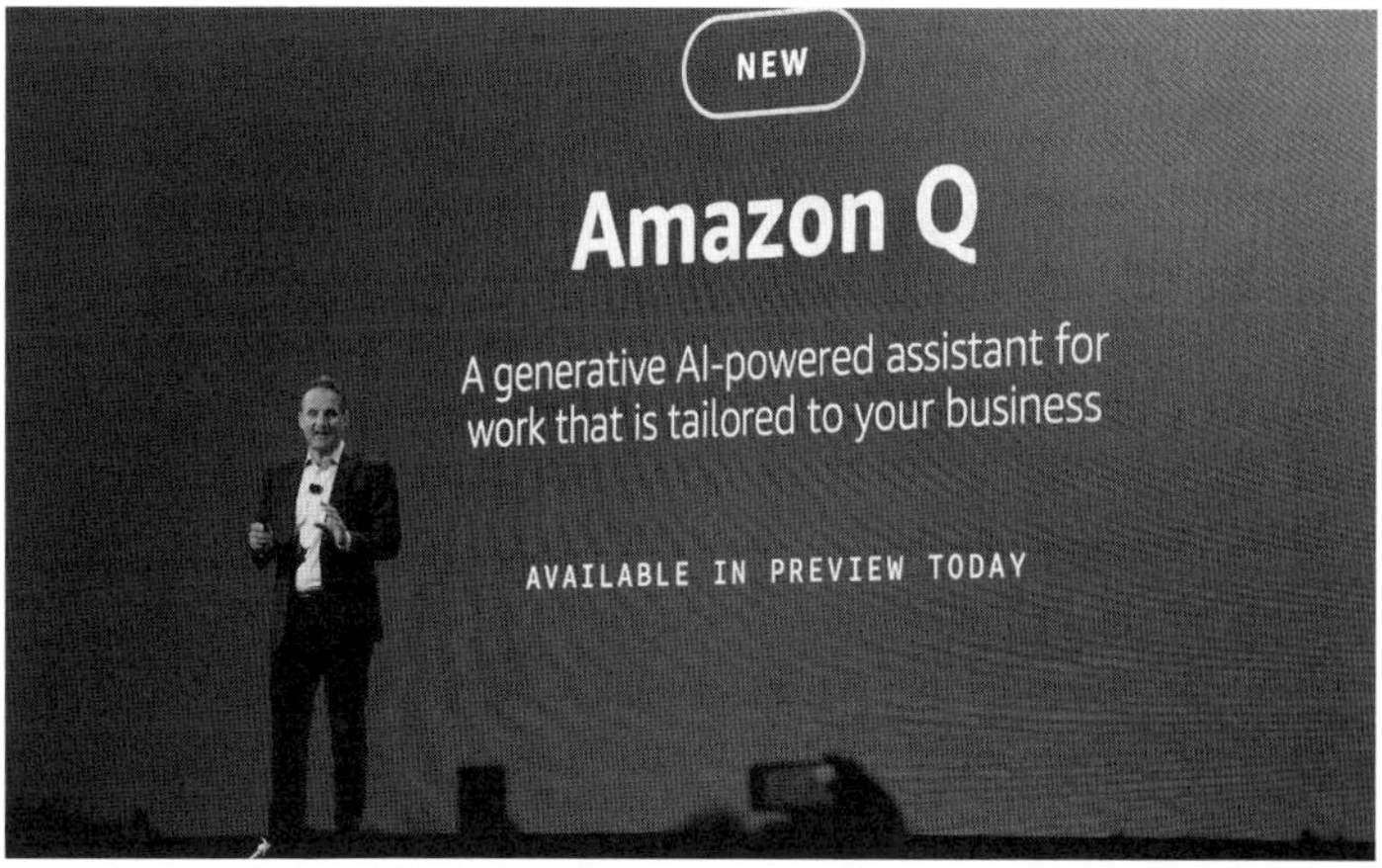

生成AIアシスタント「Amazon Q」を発表したAWSのアダム・セリプスキーCEO

ており、新サービス・機能の追加が続く。それでも、それぞれの企業が持つ思想は生成AI領域でも不変のものとして位置付けられそうだ。

ChatGPTは「ワン・オブ・ゼム」

クラウドだけでなく、米国の巨大テック企業である「プラットフォーマー」は、生成AIを自社サービスに組み込む動きでも先を行く。ChatGPTが登場した2023年前半の焦点は「生成AIはインターネット検索を駆逐するか」だった。つまり、検索というプラットフォームを巡っての争いだったが、今となっては過去の話。もはや、あらゆるサービスがAI導入の対象だ。

導入競争の最たる例が「オフィス」ソフトを巡る争いだ。2023年3月にマイクロソフトが「ワード」「エクセル」などの「マイクロソフト365」への生成AI導入を発表すると、今度はグーグルが5月に競合機能「デュエットAI（Duet AI、現在の名称はジェミニ）」を発表して応戦。8月には業務アプリ「ワークスペース」へ組み込み、マイクロソフトより先に企業向けに提供した。価格はいずれも月額30ドルに設定した。

マイクロソフトからグーグルのワークスペース製品担当副社長へと転じたクリスティー

ナ・ベア氏は「競合のソフトでは、PCにデータが保存されている場合がある」と指摘。全てのデータがクラウドにあるグーグルの優位性を強調する。最新データを網羅的に扱えることで、生成AIの力を生かしやすいからだ。

　マイクロソフトは2023年11月に開いた年次カンファレンスで、顧客の社内データを使ったカスタマイズ機能を披露。企業ニーズに合った支援機能を実現する。サティア・ナデラCEOは「全ての組織に力を与え、不可能を可能にする」と述べた。

　メタバースに傾倒していたメタにも変心が見える。2023年9月末に開いた開発者会議で、マーク・ザッカーバーグCEOは基調講演の多くをメタバースではなくAIに割いた。

「AIの進歩を体験するチャンスは大多数の人にはまだない。我々はそれを変える手助けができる」と自信を見せたメタのマーク・ザッカーバーグCEO

自社開発のＬＬＭであるラマ２を使った対話型ＡＩ「メタＡＩ」を発表。画像共有アプリ「インスタグラム」などに組み込んだ。

生成ＡＩはＰＣのブラウザーやスマートフォンのアプリを飛び越えて、物理世界にも広がり始めた。アマゾンは２０２３年９月、音声アシスタント「アレクサ」に生成ＡＩを搭載すると発表。アレクサとつながる照明や空調、ドアの鍵など物理的な設備の操作がより簡単になる。同社デバイス部門を率いてきたデイブ・リンプ上級副社長（当時）は、競合他社はスマホなどに注力しているとし、「アレクサは現実世界に住んでいる」と違いを強調する。

セールスフォースは主力である顧客管理基盤に生成ＡＩを組み込み、米アドビ（Ａｄｏｂｅ）はテキストから画像を自動作成する画像生成ＡＩを実用化した。ＣｈａｔＧＰＴは、すでに数あるＡＩサービスの「ワン・オブ・ゼム」になりつつある。

インターネット以来のイノベーションともいわれる生成ＡＩでビッグテックの存在感が際立つ背景には、ＡＩが持つ性質がある。

マイクロソフトが生成ＡＩ機能を副操縦士（コパイロット）と呼ぶように、現時点でＡＩは「人の作業をアシストする存在」だ。業務アプリやＳＮＳなど、ビッグテック各社の主力事業は数十億人規模の経済圏を持つ。その既存サービスを支援する機能として、一気に普及させられる利点がある。

ＣｈａｔＧＰＴの週間利用者が１億人に到達したとはいえ、グーグルやメタの主力事業のユーザーは30億人以上。「大多数の人には、ＡＩの進化を体験するチャンスがない。我々はそれを変える手助けができる」。メタのザッカーバーグＣＥＯの発言からは、「ＡＩの中心は我々だ」という自負が垣間見える。

「AI版ギットハブ」の存在感

クラウドやビジネス関連アプリケーションなどは米巨大テック企業が圧倒的な規模の事業を手掛けており、その牙城はすぐに崩せそうにない。一方で、プラットフォームを「生成ＡＩを支える技術基盤全般」と捉えるなら、日本企業を含む他社にもビジネスチャンスは多く残っている。オープンソースのＡＩモデルやデータを共有するプラットフォーム、既に数十万種類あるといわれるＡＩモデルから最適なものを選ぶ評価ツール──。こうした「縁の下の力持ち」の存在がＡＩ活用には欠かせないが、技術的に発展途上であり、まだデファクトスタンダード（事実上の標準）が定まっていないからだ。米国ではこの分野で多くの有力スタートアップが生まれている。

米ニューヨークの下町、ブルックリン地区。川沿いの雑居ビルに、ハグ（抱擁）を表す大きな絵文字の電飾がある。米ハギングフェイス（Hugging Face）。200人ほどの従業員とかわいらしいロゴからはにわかに想像しにくいが、AIの急速な普及と進化を支える立役者だ。

同社はオープンソースのAIモデルや学習用データを公開・共有するための技術基盤「Hugging Face Hub（ハギングフェイス・ハブ）」を運営する。画像生成の「Stable Diffusion（ステーブルディフュージョン）」やメタのラマをはじめ、アクセスできるAIモデルやデータセットは100万種類を超える。

世界中の開発者たちがAIモデルやデータを活用し、アプリケーションや新しいモデルの開発に役立てている。オープンソースのソースコードを集めたサイト「GitHub（ギットハブ）」になぞらえて、「AI版ギットハブ」と呼ぶ人も多い。知見の共有を促すことでAI技術の進歩が加速すると同社は見る。

共有・公開にとどまらず、AIモデルのデモをクラウド上で実行できることも多くのエンジニアが利用する理由となっている。サイト上でプロンプト（指示）を打ち込んで、そのモデルの性能や使い勝手を手軽に試せる。気に入ったモデルのデータソースをダウンロードし、ローカル環境で実行するといった使い方もできる。

実はハギングフェイスは2016年の設立当初、若者向けのチャットボットを手掛ける企業だった。関連技術をオープンソースとして公開したのが「転身」のきっかけだ。ＡＩに特化した知見の共有サイトとして機械学習の研究者からの支持を集めたところに、生成ＡＩの波がやってきた。

「オープン」や「共有」に対するこだわりはスタートアップの成長に欠かせない資金調達にも表れている。２０２３年8月に公表した2億３５００万ドルの調達では、グーグルや米ＩＢＭなど8社のテクノロジー大手からまんべんなく出資を受けた。オープンＡＩがマイクロソフトから巨額投資を受けているのとは対照的だ。

技術基盤とは、いわば「縁の下の力持ち」。ＡＩチャットボットなどの個人ユーザー向けサービスと違って目立つことは少ないが、生成ＡＩを活用する上で欠かせない存在だ。他にも、スタートアップが提供するユニークな基盤が続々と生まれている。

米マーシャン（Ｍａｒｔｉａｎ）は、ＡＩモデルを評価してユーザーに最適なモデルを提示する「ルーティング」サービスを提供するスタートアップだ。ルーティングという概念は、すでに通信などで広く浸透している。例えばインターネットの利用に当たっては、ネットワーク上でデータを送信する際に、宛先などを基に最適な経路を選択してデータを送信している。これをつかさどる機器が「ルーター」であり、同社はまさに「生成ＡＩのルーター」を提供する企業と言えるだろう。

財務部の担当者に科学に関する難解な質問はしないし、簡単なタスクを専門知識に明るいベテラン社員には課さないはず。それはＡＩモデルでも同じだ――。同社のサービスコンセプトは、それぞれ異なる長所を持った複数のモデルを「適材適所」で使い分けることにある。同社のエタン・ギンズバーグＣＥＯは、「オープンＡＩの『ＧＰＴ-４』が最高のパフォーマンスを発揮すると思っている人が多いだろうし、それはある意味で正しい。しかし、多くのモデルを使い分ければ、結果としてＧＰＴ-４より優れた性能を得ることができる」と説明する。

生成ＡＩアプリケーションを手掛けるユーザーは、ＡＩモデルを呼び出すＡＰＩのソースコードを、マーシャンのＡＰＩキーに書き換えるだけ。コードを書き換えるのはほんの数行だ。ユーザーの要求に応じて、マーシャンがコストやパフォーマンス、レイテンシーなどを分析して最適なモデルをルーティングする。同社のプラットフォーム上にある多数のモデルから最適なものを選ぶこともできるし、ユーザーが使いたいモデルを事前に複数指定して、その中からルーティングするといったカスタマイズも可能だ。

同社によれば、ＧＰＴ-４と特定のタスクに特化した安価なオープンソースモデルでは、利用コストが最大で９００倍違うという。「生成ＡＩモデルは飛躍的に増えていて、現在では37万種類以上ある。自分たちだけで選ぶのは不可能だ。ルーティングすれば最高レベルのパフォーマンスを安価に得ることができる」（ギンズバーグCEO）。

同社がルーティングサービスを提供できる背景には、AIモデルの実力を測る独自の「モデル・マッピング」と呼ぶ技術がある。GPT-4などはコードが非公開だが、「AIモデルに質問を送って得られた回答から、それらのモデルがどのように機能しているかを理解できる」。マーシャン共同創業者のシュリヤシュ・ウパディヤイ氏はこう説明する。

生成AIならではのプラットフォームも生まれている。米コアウィーブ（CoreWeave）はAI学習に必須のGPU（画像処理半導体）を提供するAI特化型クラウドプロバイダーだ。エヌビディアなどが出資している。

AIの学習と推論で高い性能を発揮するGPUは世界中で争奪戦が発生しており、コアウィーブにも投資が集中。2023年8月にはGPU調達力を武器に23億ドルという巨額調達をしたことも話題を集めている。

米スケールAI（Scale AI）はAI学習用データのラベル付けを得意とする新興企業だ。生成AIではモデルだけでなく学習で利用する「データの質」が重要で、オープンAIやカナダのコーヒア（Cohere）などのAIモデル開発スタートアップのほか、マイクロソフトやメタなどの大手企業もこぞって利用する。米国防総省との提携でも話題を集めた新興企業だ。

創業以来の主力サービスは、「アノテーション」と呼ぶデータラベリングの代行だ。20万人を超すともいわれるラベル付け労働者と、機械学習による自動化によって、世界中の企業がアノテーションを依頼する。生成ＡＩブーム以前の２０１０年代後半は、自動運転用の画像データラベリングを自動車大手から受託していた。

現在はアノテーションだけでなく、データの質を高める「クリーンアップ」やデータそのものを管理して扱いやすくするサービスなど事業を拡大。ＡＩに必須のデータ分野で欠かせない存在になりつつある。２０２２年時点では73億ドルの評価額で投資を受けたユニコーン企業だが、２０２４年３月時点で評価額が１３０億ドルに達しているとの報道もある。

米セキュリティ・スコアカード（SecurityScorecard）は生成ＡＩ技術を取り入れたサイバーセキュリティー技術に強みを持つ。２０２３年４月に、オープンＡＩのＧＰＴ－４を自社のセキュリティー評価基盤に統合したと発表した。

企業のセキュリティー担当者は、自然言語でセキュリティーに関するプロンプトを投げられる。例えば「過去１年間に発生したセキュリティーのインシデントは」といった質問をすることで、自社環境の脆弱性を分析できる。同社によれば、ユーザーが自然言語で扱える「初のセキュリティープラットフォーム」だという。

機械学習領域で人気の言語であるPython（パイソン）向けに、ＬＬＭによるアプリケーション開発を効率的に行うライブラリーを提供する米ラングチェーン（LangChain）も、開発者からの評価が高いサービスだ。LLMをAPIで呼び出す機能やプロンプトをテンプレート化する機能など、開発者が高頻度で使う機能を「ツール」として取りそろえる。社名の由来にもなった「チェーン」ツールは、複数のツールを鎖のように連結して実行できる使い勝手のよい機能だ。

揺らぐSIerの存在意義

「生成AIを利用する顧客に2種類の動きがある」。グーグル・クラウド・ジャパンで上級執行役員を務める小池裕幸氏は、2023年以降の企業の取り組みをこう説明する。1つは「内製化」だ。社内のエンジニアやデータサイエンティストを使って、事業会社が自社でAIモデルを開発したり既存モデルをカスタマイズしたりする動き。「7～8カ月で人材育成まで進めた企業もいる」と小池氏は言う。

もう1つの動きが、これまでとは異なるパートナー企業に生成AI関連業務を委託する動きだ。日本国内では、古くから社内システムの構築を外部のシステムインテグレーター（SIer）に外注するのが一般的で、クラウド活用が進んでもその流れは変わっていない。

ただし、AIブームで「これまでのSIerではなく、生成AIに詳しいベンダーに委託を切り替える顧客が増えている」（小池氏）。

クラウドというプラットフォームでは、日本国内でも米クラウド大手が圧倒的なシェアを占める。米調査会社シナジー・リサーチ・グループが2022年にまとめた地域別のクラウドシェア調査では、AWSとマイクロソフトのアジュールで過半となっている。AWSを利用する国内事業会社のエンジニアは「生成AIの利用で、大手クラウドへの依存はますます高まっていくだろう」と見る。

日系IT企業が得意なのは、SIerに代表される「伴走型」のビジネスだ。ユーザー企業の要望や困りごとに耳を傾け、テクノロジーの勘所を理解しながらその顧客にあったシステムを構築する能力である。その観点で、内製化や従来のパートナー以外への発注は逆風となる。SIerの存在意義が揺らいでいるわけだ。

ただ、グーグル・クラウド・ジャパンの平手智行代表は「パートナー企業も必死になっている。企業のDX（デジタルトランスフォーメーション）が進めば業務の量は増える。既存システムとの連携もあるので、SIerにとっても新たなチャンスが生まれる」と指摘する。生成AI需要を生かしてビジネスにつなげられるか、変わる産業構造に取り残されるかは個社次第というわけだ。

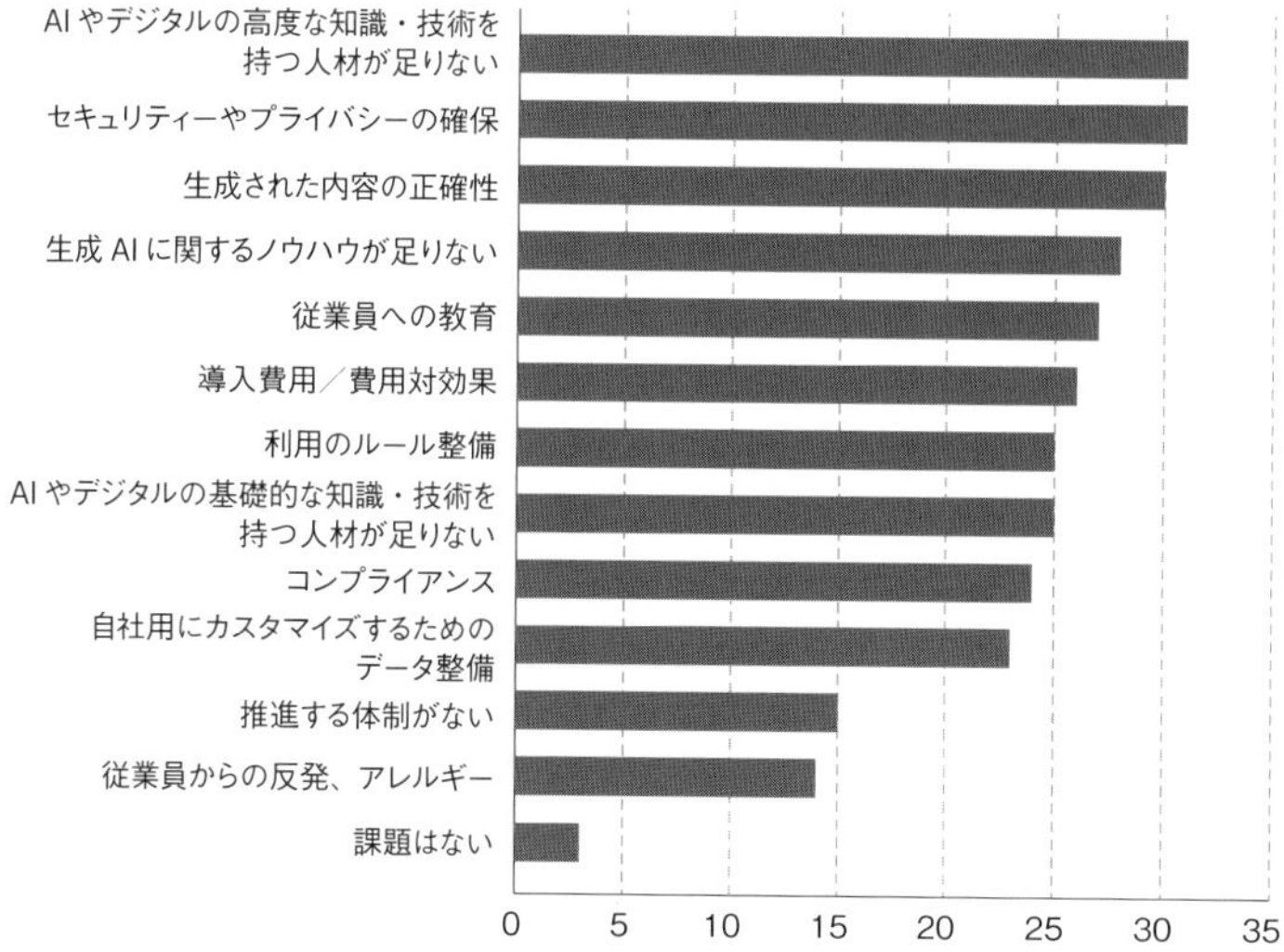

生成AIを導入する上での課題。有効回答数は710。生成AIを導入している企業または導入を検討している企業が対象。複数回答あり
（出所：MM総研）

順位	企業名	回答構成比（%）
1	NTTデータ	17
2	富士通	16
3	日本IBM	10
4	NEC	7
5	アクセンチュア	7
6	デロイトトーマツコンサルティング	5
7	野村総合研究所	4
8	ソフトバンク	4
9	PwCコンサルティング	3
10	SCSK	2

生成AI導入や利用拡大で最も期待するSI・コンサルベンダー上位10社。有効回答数は710
（出所：MM総研）

2024年4月にMM総研がまとめた企業の生成AIニーズの調査結果も、SIerへのビジネスチャンスを示している。例えば言語系の生成AIを導入する上での課題を聞いた質問で「課題はない」と答えたのはわずか3%にとどまり、約3割の企業が「人材の不足」「セキュリティーなどの確保」「ノウハウの不足」などを回答した。企業がAIを利用する際の課題は多く、伴走型のビジネスが求められていると言えるだろう。

期待するベンダーには1位がNTTデータ、2位が富士通、3位に日本IBMが入った。近年はアクセンチュアなどのコンサルティング会社がデジタル関連案件で上位に入る傾向があったが、MM総研は生成AIが業務のフェーズに入っていることなどが上位にSIerが入った理由だと分析している。SIer各社は社内に「生成AIセンター」などの横串組織を設けて知見などを集約している。今後はそうしたノウハウを顧客の価値に変えられるかが鍵となる。電子情報技術産業協会（JEITA）の予測では、日本国内の生成AIの需要見通しは2030年まで年平均47・2%増加する見込みだ。需要規模では生成AI関連アプリがトップだが、需要の増加率ではソリューションサービスが1位となった。生成AIをサービスに組み込む際の提案が待たれていることを示している。

AI開発企業としての強みが開発基盤でも生きる

グーグル・クラウド バーテックスAI プロダクトマネジメント担当 シニアディレクター
ウォーレン・バークレー氏

我々がバーテックスAIでマネージドサービスを強化しているのは、（ユーザーにとって）最も早く生産性を上げる方法だからです。我々の機能を使えば素早くモデルを展開できます。ユーザーに選択肢を与えることも目的の1つです。アプリケーション開発で成長してきた会社はマネージドサービスを利用しない傾向がありますが、現在は（ユーザーの）大半がマネージドサービスを使う方法で開発しています。

今はAIを利用するのに必ずしも機械学習エンジニアやデータサイエンスの博士号を持った人材は必要なくなりました。自然言語を使って実現できるからです。生成AIの革命の1つは、従来は利用が難しかった技術にアクセスできるようにしたことでしょう。

バーテックスAIは非常にオープンなプラットフォームです。グーグルの自社モデルを所有し、（メタが開発した）ラマ2などのオープンソースモデルもサポートしています。ラマ2のチューニングサービスを最初に提供したのはグーグル・クラウドです。加えてアンソロピックなどのサードパーティーモデルもサポートしています。我々がやろうとしているのは機械学習の構築方法に関する我々の知識と革新的な技術を、サードパーティーモデルと組み合わせることです。この多様性が我々の強みでしょう。グーグルは社内で生成ＡＩモデルを開発し、そのモデルをチューニングする技術とテクニックがあります。バーテックスＡＩにもそのテクニックを導入しました。強化学習やファインチューニングの機能です。

コンピューティングレイヤーにも強みがあります。（グーグルの独自半導体である）ＴＰＵ（第２章を参照）というＡＩ用アクセラレーターを持つことが我々に大きな柔軟性を与えています。ＧＰＵ（画像処理半導体）は非常に不足しており、独自シリコンを保有していることが、サービスを提供する上でアドバンテージになっています。

今後の検討課題の１つはコストでしょう。我々は「蒸留（Distillation、規模の大きいモデルなどを教師としてより小さなモデルの学習に利用する方法）」を検討しています。モデルをより小さく、速くする方法です。生成ＡＩの利用コストは高価で、本番環境で稼働する際にはその対価を検討しなければなりません。我々にとってコスト（効率を上げること）は非常に重要なのです。（談）

ウォーレン・バークレー氏
（出所：グーグル）

インタビューは２０２３年11月に実施した

アンソロピックと独自機能を導入する

AWS製品担当副社長　マット・ウッド氏

ベッドロックは（企業などの）組織が生成ＡＩをあらゆるアプリケーションやプロセスに導入し、あらゆるビジネスの中核に可能な限り簡単かつ安全に導入できる方法を目指して設計されました。完全にサーバーレスで、使いたいＡＩモデルを選び、インプットを与えてアウトプットを得るだけです。

１つめの特徴は、利用する初日からセキュアでプライベートな環境が構築されている点です。ＡＷＳは言語モデルやカスタマイズのための情報、出力などの情報にアクセスせず、モデルを改善するために使用しません。インターネットを通じて情報が移動することもありません。

２つめはモデルについてです。我々は生成ＡＩの文脈で、１つのモデルが全てを支配するとは考えていません。単一のモデルではなく、幅広く取りそろえています。アンソロピックやカナダのコーヒア、イスラエルのＡＩ２１ラボなどのモデルを完全に管理された環境で利用できるのは（ベッドロックが）初めてです。ファインチューニングや継続的な学習によるモデルのカスタマイズも可能です。アンソロピックとは密接に協力しており、ベッドロックで独自の機能を導入することを目指しています。

ＡＷＳ上のデータは構造化され、ガバナンスが機能し、適切に保護されています。ユーザーはそれらのあらゆるデータを非常に簡単に生成ＡＩと組み合わせることができます。また、我々はＬＬＭの処理を高速化するために特別に設計されたカスタムシリコンに投資しています。チップとデータ、モデルの全てがＡＷＳに集約されています。だからこそＡＷＳで生成ＡＩが多く利用されているのです。

ベッドロックについて顧客から圧倒的に多く寄せられている意見は、１つのアクセスポイントから様々なモデルに（ＡＰＩ経由で）アクセスできる使い勝手の良さです。セットアップも簡単で、文字通り数分で完了するでしょう。そして得られたモデルの出力を既存の（ＡＷＳ上に構築された）システムに接続できる。こうした点も評価されています。ベッドロックはＡＩを構築する最も簡単な場所であり、今後もそうあり続けるでしょう。（談）

インタビューは２０２３年11月に実施した

マット・ウッド氏
（出所：AWS）

Column

生成AIはこう生かす、日本企業の勝ちパターンと課題

「AIモデル、半導体、プラットフォーム――。これらの基盤技術が急速に整備される中、企業の関心は「生成AIを本業にどう生かすか」に移っている。実証実験から実際のサービスの開発や既存アプリケーションへの導入フェーズにどう進めばいいのか。そこには課題もある。日本企業の実例から勝ちパターンを探る。

2024年1月に米ラスベガスで開かれたテクノロジー見本市「CES」は「AI祭り」の様相を呈していた。世界最大級のテクノロジーイベントであり、その年のトレンドを占う意味合いも帯びるCESでの〝AI大合唱〟は、2024年になっても生成AIブームが続いていることを印象付けた。一方で、商品やサービスを根本的に変え、強い発信力を持ったいわゆる「キラーコンテンツ」「キラーアプリ」は乏しかった。

「AIオンボード(AI搭載)」。独フォルクスワーゲン(Volkswagen)はCESで

車体にこんなキーワードを描いたクルマを展示した。対話型ＡＩのＣｈａｔＧＰＴを市販車の車載システムに搭載すると発表。生成ＡＩを使ってクルマと会話できる機能を一部で標準装備する。韓国サムスン電子（Samsung Electronics）は「全てにＡＩ」とのキャッチコピーで新製品を展開。冷蔵庫にＡＩ搭載カメラを付け、内部の材料の有無や賞味期限などを把握したり、ＡＩ搭載のパーソナルロボットで様々な要求に応えたりといったプレゼンテーションを行った。ただ、いずれも「果たしてＡＩが必要なのか」という疑念が拭えなかった。これを「今のＡＩでもこの程度しかできないのか」と幻滅するか、「まだＡＩ時代は始まったばかり」と見るかは意見が分かれるところだろう。

筆者は期待を込めてまだ緒に就いたばかりと捉えたい。２０２４年は「ＡＩアプリ元年」とも言われる。本コラムでは特に日本企業を中心に、生成ＡＩの企業利用がどの程度進んでいるのか、課題がどこにあるのかを見ていきたい。

「日本では米国とは少し違う認識で生成ＡＩが広がってしまった」。グーグル・クラウド・ジャパンの小池裕幸上級執行役員はこう振り返る。２０２３年頭ごろからＣｈａｔＧＰＴブームが始まったのは米国と同じだが、ＡＩがもっともらしく誤った回答をする「ハルシネーション」の問題を日本企業はより重く受け止めた。「２０２３年の夏ごろまでには『社外に対して使うのは怖いから当面は社内だけで利用しよう』という雰囲気になっていた」と小池氏は言う。2023年の夏から秋にかけてAIに対する失望感が広がり、「社内の生産性向上ツール」として生成AIが見なされるようになった。一方の米国では2023年春ごろからハルシネーションを減らすRAG（検索拡張生成）が浸透し始め、「誤情報をいかに低減してサービス化するか」という検討段階に入る企業が目立つようになった。

こうした事情で、日本でサービスとしての導入検討が本格的に始まったのは米国より遅かったが、RAGなどの考え方が国内でも普及し始めた2023年秋ごろから、大企業でも続々と事業化の検討が始まった。日本マイクロソフトでクラウドやAIソリューションを担当する巴山儀彦本部長は「もともと日本は他国と比べ、顧客企業のアダプションレート（利用状況）が驚くほど高かった」と言う。消費者だけでなく企業も生成AIへの関心が高く、サービス化に対する取り組みが2024年に入ってさらに活発になってきた。「現在は、生成AIを導入するための営業ではなく、生成AIでどんなアプリやサービスがつくれるかという提案を含めた営業をしている」。巴山氏はこう説明する。

サービスの「裏側」で生成AIが動く

では日本企業は生成AIをどのように社内・社外で利用しているのか。主だった事例を見ていこう。グーグル・クラウド・ジャパンの小池氏が指摘したように、先行して進んだのは社内の生産性を向上するツールとしての利用だった。2023年4月にはパナソニックが国内グループ企業全社に対して同社子会社が開発した生成AIを全面導入。従業員9万人を対象とした（その後、さらに拡大）。ベネッセホールディングスも同月から国内のグループ社員1万5000人に米オープンAI（OpenAI）の技術を利用して開発した生成AIを導入した。こうした動きは、生成AIによる要約や文書生成による生産性向上だけでなく、全社員に導入して実際に使ってもらうことで新サービスなどのアイデアを促す狙いもあった。

自社のノウハウなどをより簡易に継承するという動きも盛んになってきた。例えば竹中工務店が開発する「デジタル棟梁」は、社内に蓄積された建築の専門情報を把握して社員に専門的なアドバイスができる生成AIアプリケーションだ。社内ルールに加えて、国土交通省が発行する工事の標準仕様書などのルール類などを専門情報としてデータベース化。そのデータベースを検索することで、一般常識だけでなく専門的な情報も返答できるようにする。建設業では熟練技術者のノウハウ継承などが課題となっており、社内の情報と組み合わせることで生産性向上だけでなく技術の伝承にも活用するという事例と言える。

RAGを使ったチャットボットの高度化は、社内だけでなく社外向けのサービスとしても実用化の検討が始まっている。ソフトバンクは日本マイクロソフトと共同で、自社コールセンターの自動化のために生成AIを導入すると発表。ソフトバンクのコールセンターには1万以上の業務が存在するが、問い合わせ内容に対する案内や契約内容の紹介などにAIを活用する。対応精度の高度化に向けて、同社のサービス内容やこれまでのオペレーターの対応に関する膨大な情報を連携するRAGを進めることで、最適な回答を生成する試みだ。

ChatGPTのように、生成AIはテキストでの問いに対して回答を生成するのが得意であり、コールセンターなどと相性が良い。一方で、AIが生み出すのはテキストだけではない。サントリーは生成AIから得たアドバイスを参考にしたウェブのコマーシャルを試作し、大林組はスケッチを基に建物の複数のデザイン案をAIが作成するツールを開発。サイバーエージェントは生成AIを使った広告画像の自動生成機能を実装した。

こうした生成AIを目に見える形で利用するケースが増える一方で、サービスの「裏側」で生成AIを活用する高度な取り組みも徐々に始まっている。

例えば博報堂DYホールディングス傘下のインターネット広告大手、Hakuhodo DY ONE（2024年4月1日にアイレップとデジタル・アドバタイジング・コンソーシアムが統合）は生成AIを使った広告画像データの「構造化」に取り組んでいる。画像や音声、動画などは「非構造化データ」と呼ばれ、集計や解析に向いていない。画像などにAIが扱えるような情報を与えるのが構造化と呼ぶプロセスだ。

同社が運用する画像データは膨大で、従来は人力で画像の属性や特徴を表す「メタデータ」を付与するのはコスト面で見合わなかった。自動化の技術にも限界があったという。

生成ＡＩがその打開策となった。グーグルのＡＩモデル「Ｇｅｍｉｎｉ（ジェミニ）」が持つマルチモーダルの能力を利用して画像からキャッチコピーやビジュアルの情報などを読み取り、テキスト情報として構造化することで、過去の類似キャンペーンなどをすぐに検索できるようにした。

生成ＡＩを使って非構造化データを分析しやすい「構造化データ」に変換する方法はメディア業界などでも注目を集めている。例えば動画データを構造化すれば、動画中の人物名やせりふなどで検索が可能になる。アマゾン ウェブ サービス ジャパンの顧客企業では、こうした構造化の利用法などを検討するため、メディア企業だけで70～80のプロジェクトが動いているという。

課題は人材・経営・著作権

実験的な取り組みは多いものの、サービスの実装フェーズになると急に尻込みする企業が多いのも事実だ。ＰｏＣ（概念実証）から実装への課題はどこにあるのか。

１つは生成ＡＩを使ったプロジェクトの位置付けにある。「経営のトップが権限を持っているかが非常に大きい」。日本マイクロソフトの巴山氏はこう言う。社内の生産性向上で利用するならば最終的にはビジネスのプロセスを変更する必要があり、社外向けサービスならば経営層の意思決定を伴う。いずれにせよ「CDO（最高デジタル責任者）やCIO（最高情報責任者）だけでなく、CEO（最高経営責任者）の積極的な関与が必要になる」（巴山氏）。

ハルシネーションへの向き合い方も、進んでいる企業とそうではない企業には差が見られる。例えば、生成AIによる自動化などで処理速度は10倍になるが10％の割合でミスが出るようなケースを考えてみよう。導入が進まない企業は「精度が足りない」と開発を止めてしまいがちだ。グーグル・クラウド・ジャパンの寳野雄太統括技術本部長は「先進的な企業では、事業部門と技術部門がきちんと議論して、『こんな場面ではミスが出やすい』『ではこういうケースでは人間が確認しよう』といった前向きな検討になる」と説明する。

前述した非構造化データの問題もある。社内の図面や文書が紙で保存されており、本来は「宝の山」とも言うべき保有データがAIに生かせる形式になっていないことだ。まず紙のデータをデジタル化した上でナレッジとして蓄積しなければならない状態の企業はなお多い。

人材面も課題だ。生成AIのモデルはプロンプト（指示）によって回答が変わる。その傾向などを把握して指示を調整する「プロンプトエンジニアリング」は新しい概念であり、人材はまだ十分ではない。日本マイクロソフトの巴山氏は「オートメーションやパーソナライズに生成ＡＩを活用するといった先進的な使い方をする場合に人材が足りない企業が多い」と話す。著作権の扱いもまだ法的に不明瞭なケースも多く、企業が二の足を踏む理由にもなっている。

業界による進捗の差もある。データの秘匿性が高い金融業や、安全性などの十分な検証が必要な製造業では、本丸である基幹業務への生成ＡＩの導入に時間がかかりそうだ。それでも、「生成ＡＩは決して生産性向上ツールではない。売り上げを伸ばす可能性があるテクノロジーであることを忘れてはいけない」とグーグル・クラウド・ジャパンの小池氏は言う。

２０２３年はトライアルの年であり、２０２４年は生成ＡＩアプリ元年になる――。米国ではこうした論調が強くなってきた。アマゾン ウェブ サービス ジャパンの巨勢泰宏執行役員技術統括本部長は生成ＡＩの特徴を次のように説明する。「今まで我々も様々なサービスを扱ってきたが、これほど早く実装が完了するテクノロジーはなかった」。半年から長ければ数年かかっていたサービスの実装が、生成ＡＩでは早ければ数週間で終わってしまう。「サービス化のサイクルをこれだけ早く回せるのはチャンスだ」と巨勢氏は言う。

生成ＡＩを使って業務を改善するという段階から、生成ＡＩをサービスにどう組み込むかという収益化の段階へ――。革新的なテクノロジーを革新的なコンテンツやサービスに切り替えられるか。生成ＡＩの実用化は新しいフェーズに入っている。

第 4 章
国 家 間 競 争

特許で中国圧倒、AI地政学を制する者

［本章に登場する主なプレーヤー］

Adobe（アドビ）、Google（グーグル）、韓国・サムスン電子、中国・百度（バイドゥ）、中国・騰訊控股（テンセント）、中国・華為技術（ファーウェイ）、中国・アリババ集団、中国・北京智源人工智能研究院（BAAI）、中国・雲従科技（クラウドウォーク）、中国・依図科技（イートゥ）、中国・曠視科技（メグビー）、中国・商湯科技（センスタイム）、台湾積体電路製造（TSMC）、中国・海思半導体（ハイシリコン）、中国・中芯国際集成電路製造（SMIC）、オランダ・ASML、Intel（インテル）、NVIDIA（エヌビディア）、中国・摩爾線程智能科技（ムーア・スレッズ）、中国・中科寒武紀科技（カンブリコン）、中国・壁仞智能科技（バイレン）

※特記以外は米国企業

［キーワード解説］

■特許出願・公開

特許権を得ると対象となる発明の販売や使用などを独占できる。発明者は各国・地域の当局に特許を出願し、新規性などの審査を経て登録・公開される。一般的に出願から公開までの期間は1年6カ月。

■モデル・アズ・ア・サービス（MaaS）

ソフトウエアを利用する「窓口」であるAPI（アプリケーション・プログラミング・インターフェース）経由でサービスとして利用できるAI（人工知能）モデル。米マイクロソフトや中国・アリババ集団などが自社のサービスを形容する際に使用している。

■EUV（極端紫外線）露光装置

露光とは回路パターンをシリコンウエハー上に転写する技術を指し、波長13.5ナノ（ナノは10億分の1）メートルの極端紫外線を用いた半導体露光のための装置をEUV露光装置と呼ぶ。半導体微細加工技術の筆頭。実用レベルのEUV露光装置の開発・供給は、オランダのASMLが独占している。

■ファブレス企業

製品の企画や設計だけを手掛け、自社で工場を保有せず製造を外部工場に委託する企業。製造のみを請け負うファウンドリーと対になる概念。企画・設計に資本や人材を収集投資できるといったメリットがある。米エヌビディアはファブレス企業の代表格。

■ブリュッセル効果

欧州連合（EU）の規制がEU域外の国・地域や企業に影響を与え、多国籍企業などが自主的にEUの規制を順守する現象。EUが本部を置くブリュッセルにちなんで名付けられた。効果を発揮した代表例として一般データ保護規則（GDPR）が挙げられる。

■ハードローとソフトロー

ハードローは法的な拘束力のある法律・条例などの規制を指し、ソフトローはガイドラインや民間企業による自主的な規制などを含む柔軟な規制の総称。生成AIなどの技術開発が速い領域では法律の制定がそのスピードに追いつかないことから、柔軟な対応が可能なソフトローによる規制が必要との議論がある。

独自調査によって中国企業が生成AI（人工知能）で圧倒的な数の特許を出願していることが明らかになった。謎に包まれていた中国の生成AIだが、「メガテック」と呼ばれる大手を中心に米国に伍するサービスを提供し始めている。米国は半導体などの輸出規制を強化してサプライチェーンを断ち切り、計算資源を遮断しようと動く。EUはルールづくりで主導権を握り、AIでも「ブリュッセル効果」を狙う。外交や規制をはじめとして水面化で国家間競争が勃発する。「AI地政学」を制するのは誰か。

独自調査で判明した中国AIの実力

生成AI関連特許の出願数で中国が米国や日本を圧倒――。筆者が所属する日経クロステックとAI特許総合検索・分析プラットフォームを手掛けるパテントフィールドの独自分析で、国・地域の「生成AI特許力」が明らかになった。2位が米国、3位が韓国、4位が欧州で、日本は5位に沈んだ。特許は独自に設計した検索条件によって生成AIに関連するものだけを対象としている。米スタンフォード大学が2024年4月に公表したリポートによれば、米国のAI全体の特許数の割合は2010年の54・1%から2022年には20・9%に急落している。中国の躍進がその大きな理由だ。

本章では、生成ＡＩに関する国家間競争について描く。まずはそれぞれの国・地域の実力を評価するため、独自調査で明らかになった特許力を解説していこう。

特許分析は、世界の特許出願件数の８割を占めるといわれる協議体、世界五大特許庁（日本国特許庁、米国特許商標庁、欧州特許庁、中国国家知識産権局、韓国特許庁）を対象に実施した。中国の生成ＡＩ関連特許出願数は３万１２４件で、米国の１万２５３０件を大きく引き離してトップだった。

中国は近年、知的財産を重視する傾向があり特許出願が急増している。世界五大特許庁によれば、２０２２年の特許全体の出願数は中国１６２万件、米国59万件、日本29万件、韓国24万件、欧州19万件だった。中国は他の分野でも特許出願が多く、この比率（中国：米国＝３：１）に照らし合わせれば、中国は生成ＡＩでも他分野と同様に特許を出願していると理解するのが正しいだろう。

数だけで言えば韓国の躍進が目立つ。特許出願数全体では中国、米国、日本に続く４位だが、生成ＡＩ分野では４１２３件と日本の１４０８件を大きく上回った。特に３２４件を出願した韓国サムスン電子（Samsung Electronics）がけん引している。日本での出願トップは米グーグル（Ｇｏｏｇｌｅ）、欧州トップはサムスン電子だった。

それぞれの国・地域別に見てみよう。まずは米国。生成ＡＩ関連特許の出願件数トップは米アドビ（Adobe）、2位はグーグル、3位はサムスン電子だった。

特許出願には、技術の独占的な利用権を獲得する目的がある。加えて米国では訴訟リスクなどを回避する点でも重視されている。「その国でどんなビジネスを展開する意思があるかを測るバロメーターの一種だ」（パテントフィールドの近藤和樹グループリーダー）。

米国の生成AI関連特許出願は2017～18年ごろから急増した。2022年以降に減少しているが、特許の出願から公開まで一般的に1年半かかることが影響していると見られる。近藤氏は「昨今の

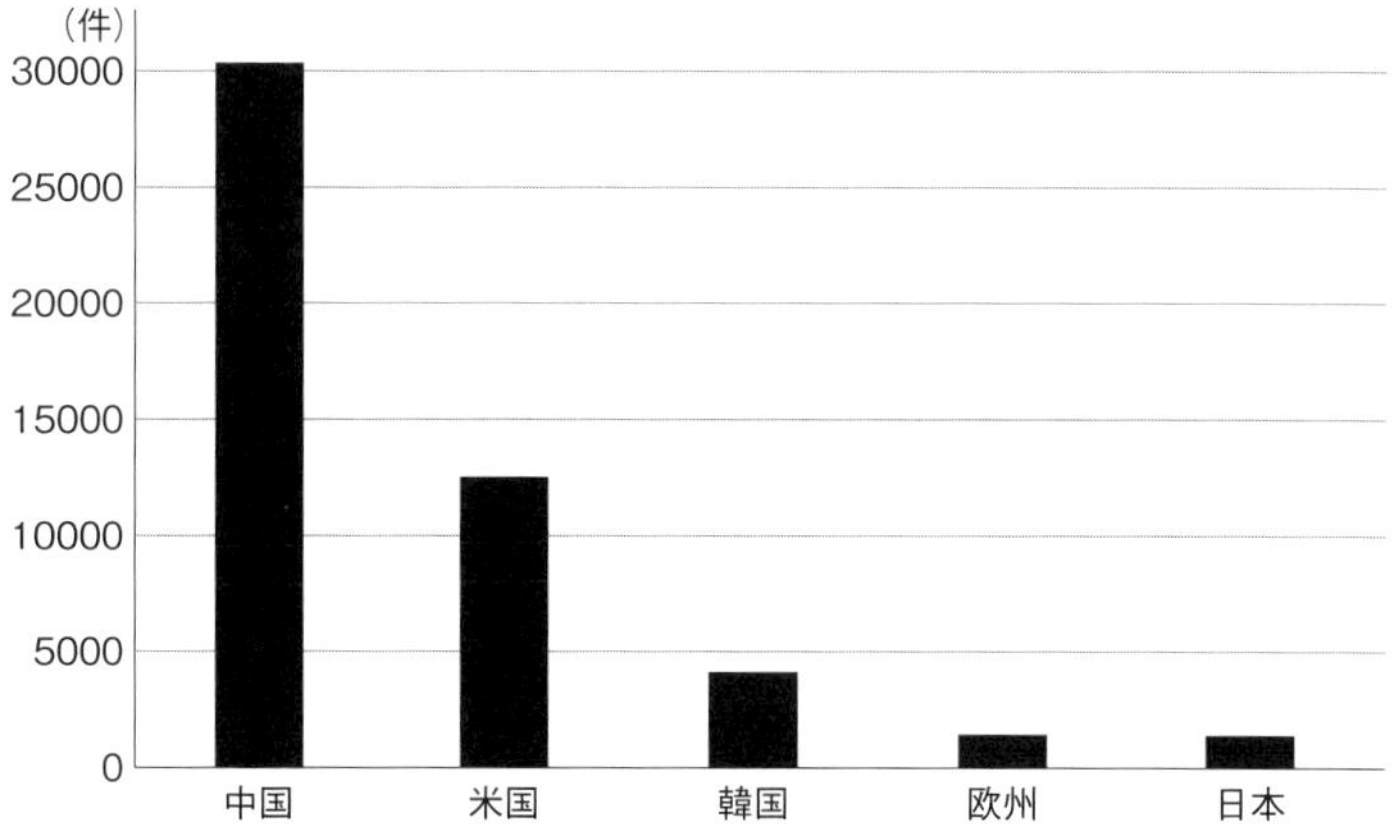

国・地域別の生成AI関連特許のランキング（出願件数ベース）
出願日で2010～24年を対象とした。AI特許総合検索・分析プラットフォーム「Patentfield」を利用し、生成するコンテンツの対象（テキスト、音声、画像など）に関する特許分類と、生成AIに関連するキーワードなどを組み合わせて、日経クロステックとパテントフィールドが独自に母集団を定義。その上で、ノイズが多く発生した医療系特許分類（IPC分類A61）を除外した。
（出所：日経クロステック、パテントフィールド）

技術開発状況を見ると、公開されていないだけで出願件数は引き続き増加傾向にあるのではないか」と見る。

米国で出願件数が1位だったのはアドビだ。合計で586件の特許を出願した。2020年以降は毎年100件以上の出願を継続している。2位はグーグル。2014年に買収した英ディープマインド（DeepMind、現在は組織を統合してGoogle DeepMindに改称）の出願件数をグーグルの件数に加えた。2019年の出願件数はグーグルがトップであり、いち早く生成AI領域で技術開発を進めていたことが分かる。

3位はサムスン電子の502件だった。米国と同様の母集団における韓国での同社の特許出願件数は324件で、米国の件数より少なかった。特許は同じ技術を異なる国・地域に出願できる。その国や地域でどのようなビジネスを展開するかという戦略から出願場所を決めるのが一般的だ。「主力のスマートフォンや家電、半導体などへの生成AIの展開で、サムスン電子が米国を重視している表れだろう」と近藤氏は分析する。

次に、生成AI領域で具体的に各社が注力しているテーマを見ていく。母集団の特許のタイトルや本文などで頻出するキーワードを抜き出し、それぞれの企業の出願特許とクロス集計した。「ニューラルネットワーク（Neural Network）」など機械学習で一般的な用語は上位各社の出願特許にそろって頻出したものの、特定のキーワードで上位3社に違いが見ら

米国の生成AI関連特許の出願数で1位になったアドビ

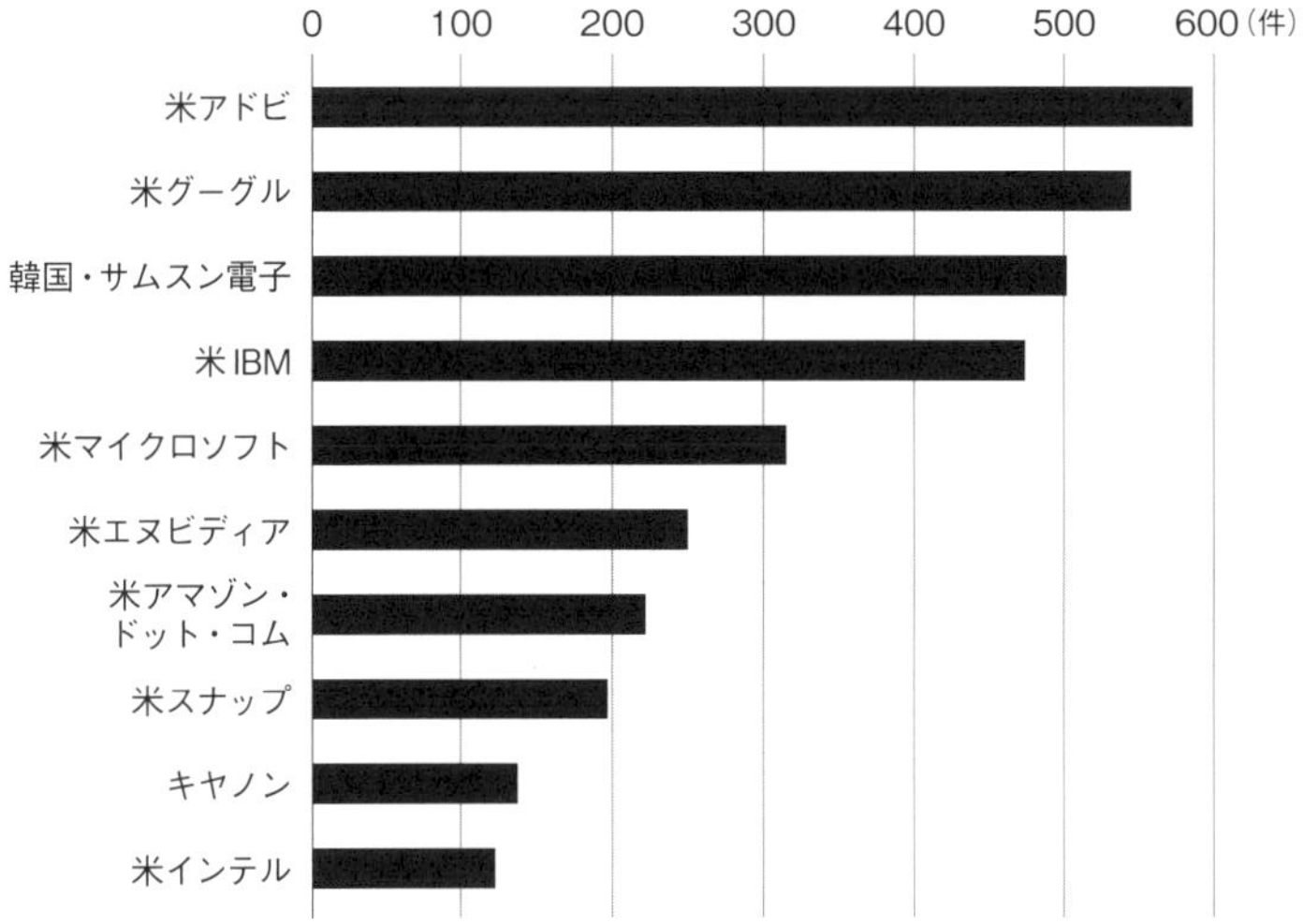

米国における生成AI関連特許の出願件数のランキング
（出所：日経クロステック、パテントフィールド）

れた。例えばアドビでは「敵対的（Adversarial）」のキーワードが73件と突出した。グーグルは9件、サムスン電子は27件だった。

アドビの特許を具体的に確認すると、「敵対的サンプル（Adversarial Examples）」が多く使われていることが分かった。機械学習モデルに誤った予測をさせるサンプルを指す。アドビは正確な画像認識タスクを実行するために敵対的サンプルを排除する方法などに注力していると見られる。グーグルは「発話・発言（Utterance）」が56件と相対的に多かった。アドビは2件だった。「グーグルは発話に対する特許が多く、音声認識分野に力を入れていることが分かる」（近藤氏）。

グーグルのトップ発明者はサムスンへ

次に米国で特許を出願した「発明者」に着目。日経クロステックと特許調査会社スマートワークスが共同で、アドビ、グーグル、サムスン電子の出願件数上位3社の発明者を分析した。２０１７年の1年間と5年後に当たる２０２２年の1年間を比較すると、生成ＡＩに関する特許の発明者は3社いずれも増加していたが、特にサムスン電子の急増ぶりが目立った。

アドビは153人から346人へ、グーグルは334人から759人へと倍増したが、サムスン電子は196人から1142人へと5倍以上に増えていた。スマートフォンや半導体などに採用する生成AI技術を開発するため、サムスン電子が急激に人材獲得に動いている様子がうかがえる。

発明者ごとの特許件数を調査すると、サムスン電子の人材獲得がよりはっきり見えてきた。2017年時点でグーグルのトップ発明者（出願件数8件で1位）だったウ・ドンヒョク（Dong Hyuk Woo）氏は、2024年3月時点でサムスン電子に移籍済み。ウ氏はグーグルでAI半導体であるTPU（Tensor Processing Unit）の開発を主導したエンジニアだ。米メディアによ

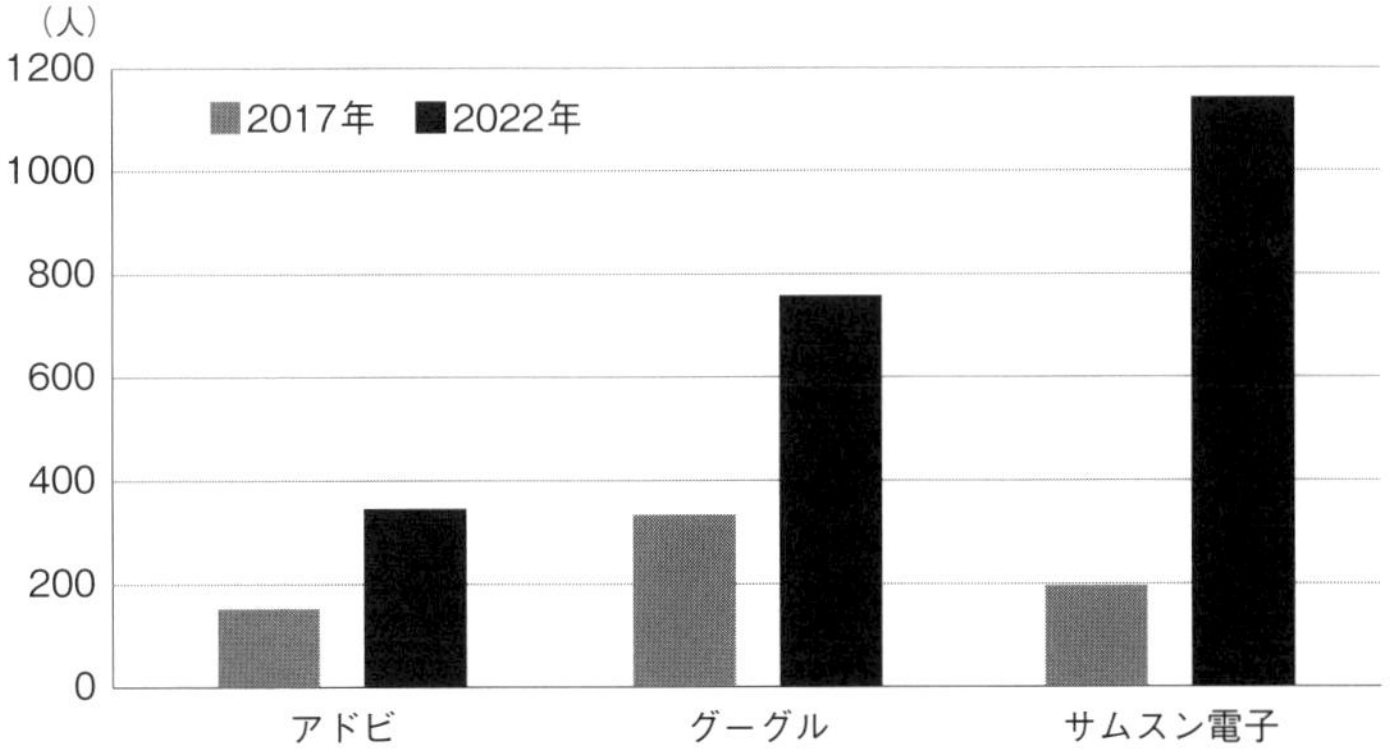

アドビ、グーグル、サムスンの特許出願者の推移
対象は米国特許出願で、延べ人数ではなく名寄せした結果。特許の母集団は共通特許分類「生成ネットワーク」「確率的または確率論的ネットワーク」など生成AI関連が多く出願する分類に加えて、幅広い分類から「生成AI」などの関連語でソートしたものを組み合わせた。（出所：日経クロステック、スマートワークス）

ると、同氏はサムスン電子が新しく開始するAGI（汎用人工知能）事業の研究開発組織で、AGI向けの特殊な半導体開発を担当するという。

サムスン電子はトップ発明者の離職率の低さも際立っていた。日経クロステックがグーグルの論文検索サービスなどを利用して調査した結果、サムスン電子は出願件数5位（タイを含む）までの発明者5人全員が現在もサムスン電子に在籍していることが分かった。

一般的にAI分野のエンジニアの流動性は高いとされる。グーグルの2017年の出願件数5位までの発明者5人のうち、2024年時点でグーグルに在籍しているのは2人のみ。ウ氏のサムスンに加えて、残り2人は米オープンAI（OpenAI）と米メタ（Meta）に移籍していた。アドビの場合、出願件数5位（タイを含む）までの発明者7人のうち2人は中国の字節跳動（バイトダンス）などに移籍している。

次に特許出願で国・地域別3位に食い込んだ韓国を見ていこう。前述の通り、2022年の特許全体の出願数は韓国が24万件、日本が29万件と拮抗しているのに対して、生成AIだけに絞ると韓国は日本の3倍の特許を出願している。「生成AIに関しては日本が韓国にリードを許している状況だ」（パテントフィールドの近藤氏）。けん引しているのが、企業別で他社を引き離してトップとなったサムスン電子だ。324件の特許を出願した。2位が公的研究機関である韓国電子通信研究院（ETRI）で120件、3位は国立大学の韓国科学技術院（ＫＡＩＳＴ）で92件だった。４位にグーグル、５位にＬＧ電子がランクインしたが、その他のトップ10は大学や研究機関が目立った。

欧州と日本はともに特許出願では主役が不在の状況だ。欧州のトップはサムスン電子の１２７件。同社は米国、韓国、欧州の３つの国・地域でトップ３にランクインしており、近藤氏は「韓国以外に欧米を主要マーケットと捉えていることが分かる」と分析する。家電やスマホ、半導体など、生成ＡＩの対象となる幅広い製品・サービスラインアップを持つことも特許出願が多い理由だろう。欧州の２位は独シーメンス（Siemens）傘下のシーメンスヘルスケア、３位がグーグ

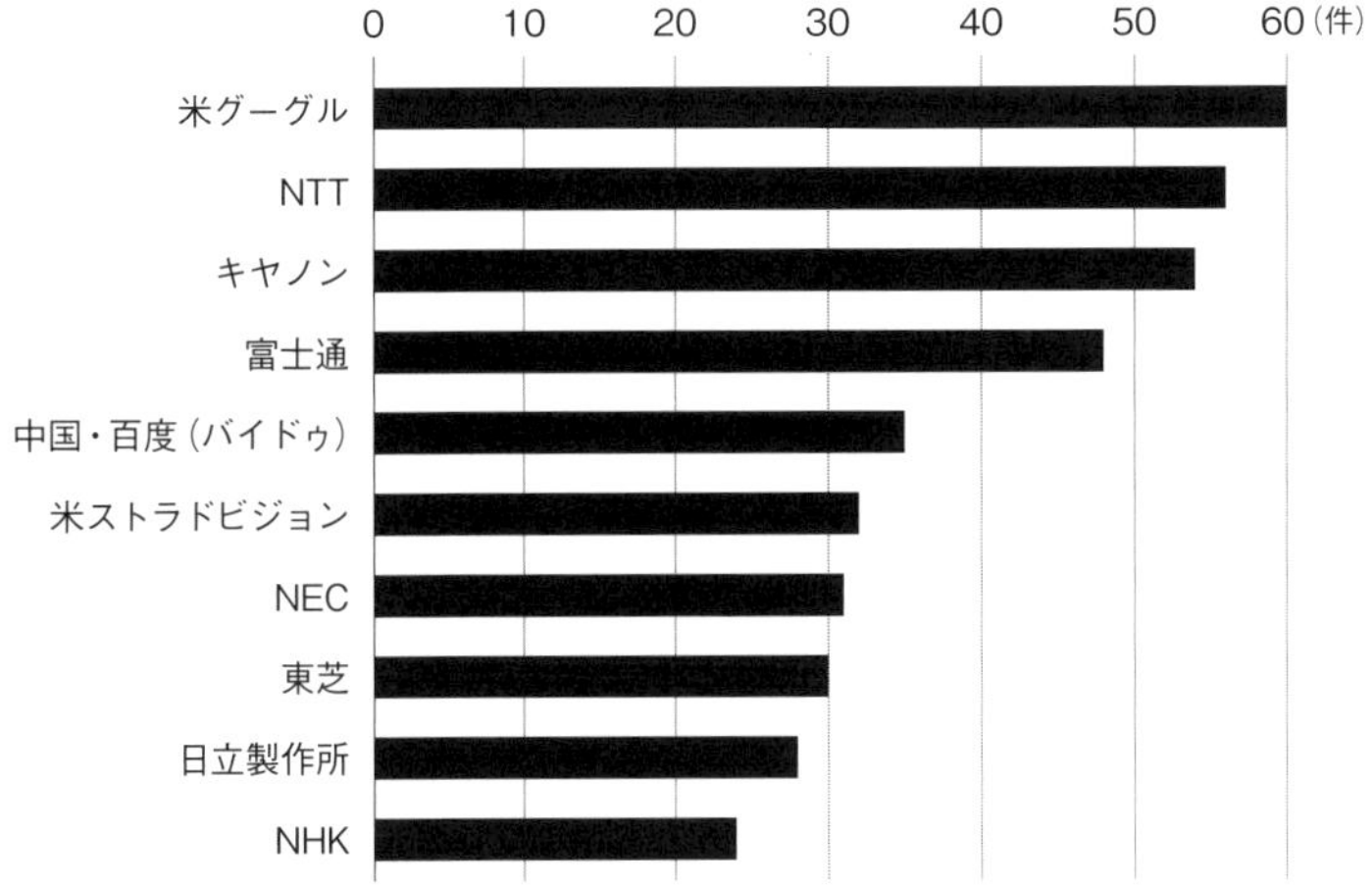

日本の生成AI関連特許の出願件数のランキング
（出所：日経クロステック、パテントフィールド）

ル、4位が騰訊控股（テンセント）、5位が百度（バイドゥ）で、トップ10に入った欧州企業はシーメンスヘルスケアとオランダのフィリップス（Philips）の2社だけだった。

日本の出願数トップはグーグル。2位がＮＴＴで3位はキヤノンだった。「特許出願だけを見れば、全体として出願数は低調でリードする代表的な企業がいないのが現状だろう」と近藤氏は見る。

知られざる中国ＡＩの成長

最後は、特許出願件数で圧倒的な1位となった中国だ。米スタンフォード大学がまとめた「ＡＩインデックスリポート２０２３」によれば、２０２２年のＡＩに対する民間投資額は1位が米国で４７４億ドル、２位が中国の１３４億ドルだった。現状では米国が差をつけている状況だが、急激な追い上げが見込まれる。米ＩＤＣが２０２４年2月に発表したリポートによれば、中国の民間投資は２０２７年に生成ＡＩだけに限っても１３０億ドルを超える見通し。年間85％以上という異常な成長率が見込まれている。中国企業を担当するＩＤＣの銭静氏は「多くの生成ＡＩ関連の技術やアプリケーションによって、中国のＡＩ産業は新たな爆発的な成長をとげるだろう」と見る。

中国企業の特許を分析すると、同国の生成ＡＩの状況が見えてくる。企業・組織別に見ると、１位はバイドゥの５７５件、２位がテンセントの５６１件だった。両社とともにＩＴ大手「ＢＡＴＨ」を形成する華為技術（ファーウェイ）とアリババ集団も１００件以上の出願があった。出願数トップ10は全て中国国内企業・大学だった。

百モデル大戦――。中国でも２０２３年に生成ＡＩブームが勃発し、10億パラメーターを超える大規模言語モデル（ＬＬＭ）が熾烈《しれつ》な競争を繰り広げてこう呼ばれた。背景には、生成ＡＩについても中国政府が他国サービスを禁止したという事情がある。例えばオープンＡＩが提供するＣｈａｔＧＰＴは同社が中国向けサービスを提供しておらず、そもそも中国国内からの登録はできなかった。それでも、「仮想プライベートネットワーク（ＶＰＮ）という抜け穴を使って登録するアーリーアダプターが多かった」（中国・上海で働くソフトウエアエンジニア）。ＶＰＮは専用ルーターなどを使ってＩＰアドレス（ネットワーク機器に割り当てられるインターネット上の住所）を変更する仕組みだ。

しかし、こうした動きが広がった２０２３年２月までに中国政府が企業に対してＣｈａｔＧＰＴを利用しないよう指示。ＣｈａｔＧＰＴが中国政府の見解と異なる回答をする場合があったことが原因と見られる。生成ＡＩの分野でも中国は〝鎖国〟を選び、結果的に独自開発を余儀なくされたわけだ。

米国と同様に、ＡＩモデル領域で先頭を走ったのは「メガテック」と呼ばれる巨大テック企業だった。例えば特許出願件数１位となったインターネット検索大手のバイドゥは２０２３年３月に対話型ＡＩ「文心一言（アーニーボット）」を市場投入。２０２３年６月には、最新版のアーニーボットで利用されているＡＩモデル「アーニー４・０」が中国語能力におけるいくつかの指標でオープンＡＩの「ＧＰＴ-４」を上回ったと発表した。ＥＣ大手のアリババ集団も「通義千問（Tongyi Qianwen）」を投入しており、大手による開発が進んでいる。

多数のＡＩモデル開発スタートアップが登場している点も米国に似る。中国の大手検索エンジン「捜狗（ソーゴウ）」でＣＥＯ（最高経営責任者）を務めた王小川氏が設立した百川智能（バイチュアンＡＩ）や、グーグル中国法人でトップを務めた李開復氏が創業した「プロジェクトＡＩ２・０」が代表格だ。特許出願数で多くの大学・研究機関がランクインしたように、企業以外での開発が進んでいることも中国の特徴だ。大学が開発したＡＩモデルはオープンソースとして提供される傾向が強く、研究者などがこぞって利用している。

過熱する状況を見据えて中国政府は２０２３年８月に「生成ＡＩサービス管理暫定弁法」を施行。いち早く生成ＡＩに関する規制を導入し、生成ＡＩサービスの一般向け提供は届け出制となった。２０２４年３月時点で45モデルが認可されている。

中国企業のデジタル戦略に詳しい野村総合研究所の李智慧エキスパートコンサルタントは、中国企業の生成ＡＩを３つのタイプに分類する。１つめが「エコシステム構築型」で、バイドゥやアリババ集団などのテック大手が含まれる。バイドゥなら検索やビジネスアプリ、アリババ集団ならＥＣや広告といった自社が持つ広いエコシステムの中に生成ＡＩを組み込んでいくビジネスで、スケールしやすいというメリットがある。

２つめは「インフラ建設型」で、主に開発者に向けたＡＩモデルやプラットフォームを提供する動きだ。李氏はその代表例として北京智源人工智能研究院（ＢＡＡＩ）が開発したＡＩモデル「悟道」

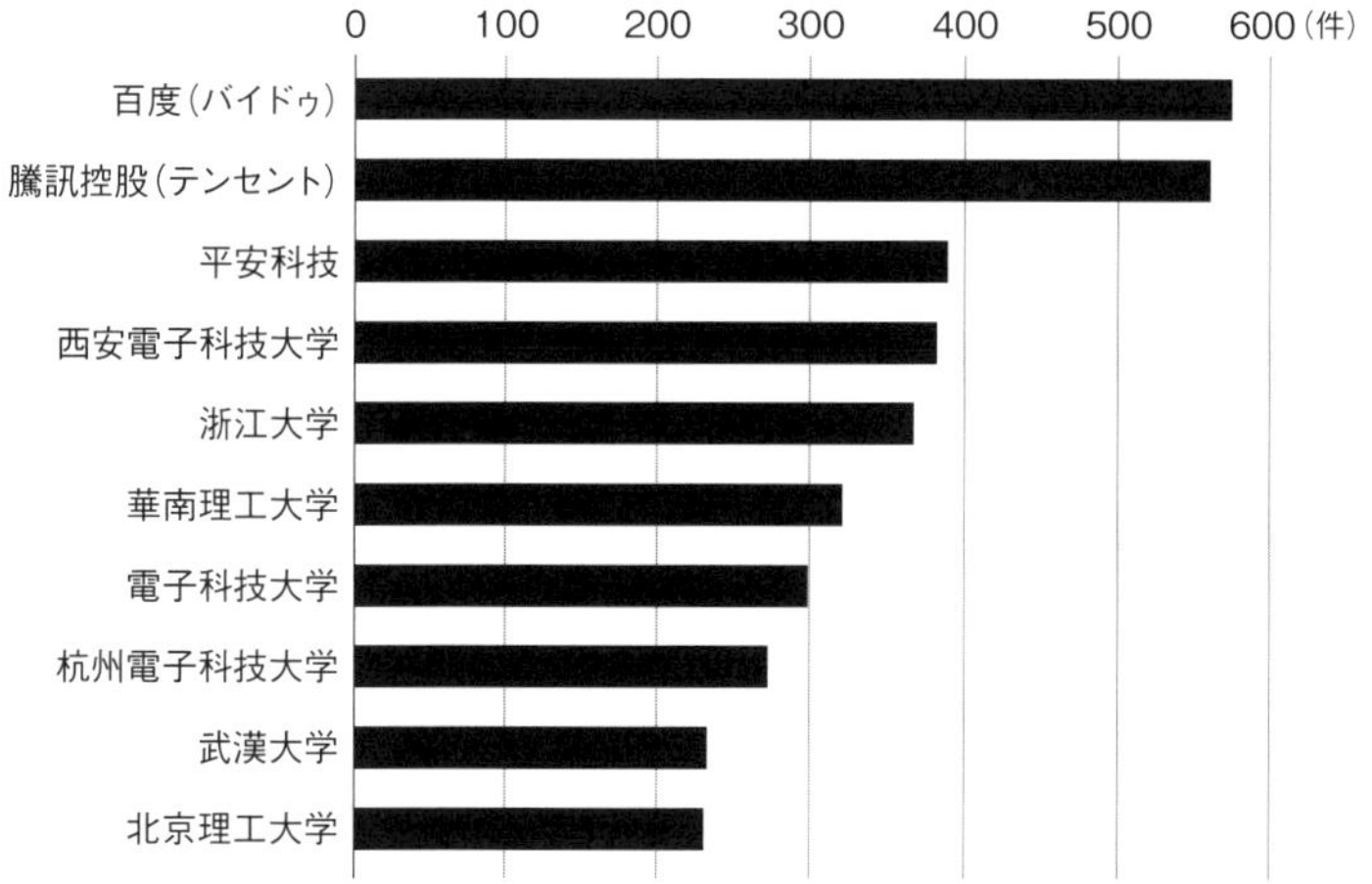

中国の生成AI関連特許の出願件数のランキング
（出所：日経クロステック、パテントフィールド）

を挙げる。マルチモーダルなＡＩモデル「悟道２・０」のパラメーター数は１・75兆でオープンＡＩのＧＰＴ-3など米国企業のモデルを大きく上回っている。既に多くの中国企業が利用するハイエンドモデルだ。一方、ＢＡＡＩは「悟道　３・０」として、より規模の小さいモデルも開発済み。米国で見られるように、用途に応じて適材適所のモデルをユーザーが選択できるようにラインアップを拡充していると見られる。李氏が挙げる３つめのタイプは「業界特化型」。教育や医療、自動車などの業界に対して専用のモデルを提供する手法を指す。

ＡＩモデルの勃興と並行して、ＡＩ開発プラットフォームの整備も進んでいる。バイドゥとアリババ、テンセントの３社はそれぞれのクラウド上でＡＩモデルをカスタマイズできるサービスを開始した。米国で米アマゾン・ウェブ・サービス、（Amazon Web Services、ＡＷＳ）やマイクロソフト、グーグルなどのクラウド大手が提供している機能と同種のサービスに位置付けられる。

例えばネット検索大手でありクラウドサービスも提供するバイドゥの例で説明しよう。同社はクラウド上でＡＩアプリを構築できるプラットフォーム「千帆」を提供する。同社が持つ大規模言語モデル「文心一言」や画像生成ＡＩ「文心一格」などの「文心ファミリー」に加えて、メタの「ラマ２（Ｌｌａｍａ ２）」をはじめとするオープンソースモデルもラインアップに加わっている。同社はネット検索でありながらクラウドサービスを手掛け、ＡＩモデル開発基盤を提供している点で、グーグルとの類似点が多い企業と言えるだろう。

ユーザーはラインアップからＡＩモデルを選び、バイドゥクラウド上で学習データの作成やモデルの追加トレーニング、性能の評価などを実行できる。グーグルの「バーテックスＡＩ（Vertex AI）」に近いサービスだ。ＡＩチップなどの計算リソースもクラウドで提供する。

中国「AI四小龍」の秘密

中国勢がどの分野に特許出願しているかを分析しよう。次ページのグラフは、特許分類ごとの出願状況を表したものだ。縦軸が分類、横軸が出願年で、色の濃いマスは出願件数が多いことを示している。

特許分類Ｇ０６Ｎ３（生物学的モデルに基づくコンピュータシステム）に多数の出願が集まっている点は米国と同じだ。一方、中国で特徴的だったのは、２０２２年ごろからＧ０６Ｖ１０（イメージ・ビデオ認識・理解装置）の件数が一気に増加している点だ。これは米国、韓国、欧州、日本のいずれでも見られない傾向だった。

野村総合研究所の李氏は「中国勢が生成ＡＩの画像・動画生成で強みを持っていることと

	2014	2015	2016	2017	2018	2019	2020	2021	2022	2023
生物学的モデルに基づくコンピューターシステム	12	35	107	491	1092	2193	4164	5906	6073	5498
印刷または手書き文字、パターン認識装置	19	32	105	377	721	1437	2581	3391	1229	0
イメージ・ビデオ認識・理解装置	0	0	1	7	2	11	141	1359	4073	3659
イメージ分析	3	4	17	91	238	473	981	1444	1576	1228
情報検索、データベース構造、ファイルシステム構造	0	0	1	20	112	423	744	904	942	966
イメージの強調または復元	3	1	7	50	132	278	637	922	946	801
自然言語データの取り扱い	1	1	1	7	34	172	699	875	930	865
シーンやその特有の要素	0	0	0	0	1	4	45	421	1195	1219
イメージの平面における幾何学的変換	2	0	8	45	85	188	395	586	649	518
生体認証パターン、人間・動物関連パターンの認識	0	0	1	2	0	6	31	288	793	543

中国における特許分類ごとの出願件数の推移
（出所：日経クロステック、パテントフィールド）

関連している」と読む。中国でＡＩスタートアップとして注目を集め、「ＡＩ四小龍」と呼ばれる４社（雲従科技＝クラウドウォーク、依図科技＝イートゥ、曠視科技＝メグビー、商湯科技＝センスタイム）はいずれも画像・動画領域を本業としている。「テキスト生成ではなく画像こそが強みだと中国勢は認識している」（李氏）。

一方で、テキストなどを生成するＬＬＭについては米国に比べて遅れているとの指摘もある。中国・上海で働くソフトウエアエンジニアの１人は「我々もＣｈａｔＧＰＴを使いたいというのが本音だ」と打ち明ける。前述の通り、中国政府はＣｈａｔＧＰＴやグーグルの「Ｇｅｍｉｎｉ（ジェミニ）」といった米国の生成ＡＩサービスの利用を禁止している。李氏は「学習するためのデータが中国語に限られるという点で、中国勢のＬＬＭの性能には限界がある。特に、先端分野の研究論文などは英語で書かれるケースが圧倒的に多い」と指摘する。特許の出願件数では圧倒的な差を付けた中国。独自なエコシステムを形成しているがゆえに、その実力を知るには特許の内容などによく目を凝らす必要がある。

一方で、「中国企業が得意なのは実装能力だ」と李氏は見る。ＡＩモデルそのものの優劣ではなく、各業界や個別企業がサービスなどにＡＩを組み込むスピードが「圧倒的に速い」（李氏）からだ。ＡＩの競争軸はモデルからアプリへと移行しており、中国企業の台頭はこれからが本番とも言えるだろう。

ファーウェイ復活、焦る米国

「信じられないほど憂慮すべき問題だ」。2023年10月、米連邦議会の公聴会でレモンド商務長官はこう危機感をにじませた。焦りの先は中国の通信機器大手、ファーウェイが同8月に発売した最新スマートフォン「Mate60 Pro」だった。まさにレモンド商務長官が訪中していたタイミングでの発売だったこともあり、同長官は不快感を示していた。

なぜこのスマホが憂慮すべき問題なのか。話は5年前に遡る。米国はトランプ政権下の2019年、中国政府への情報流出を懸念してファーウェイへの制裁に踏み切った。2019年5月にはソフトウエアなどについて同社と米国企業の取引を事実上禁止し、2020年5月には米国の技術を使って製造する半導体の輸出を禁止した。これらの制裁は第三国経由での貿易も制限しており、ファーウェイは例えばサムスン電子や台湾のTSMCなどが製造した半導体を輸入できなくなったわけだ。中国企業に対するハイテク部品の禁輸は「米国が持つ最強のカード」であり、ファーウェイへの制裁はトランプ政権が進める「デカップリング（経済分断）」の象徴だった。詳細は後述するが、バイデン政権でも米国は基本的に中国に対する輸出規制を継続・強化している。

実際、この規制は効果的に機能した。TSMCはファーウェイに対する供給を停止。ファーウェイは高性能スマホの製造が困難となり、2019年には17・6%でサムスン電子に次いで世界2位だったスマホ世界シェア（出荷台数ベース）は、2021年には5%台に急落した。

ところが、ファーウェイが2023年8月に発売した前述のスマホは「復活」を告げるものだった。半導体には7ナノ（ナノは10億分の1）メートルプロセスの先端チップを採用。半導体はプロセスが微細化するほど性能を増す。米アップル（Apple）の最新iPhoneが搭載する3ナノメートルに比べれば世代は古いが、米国が輸出規制の基準としている14ナノメートルを大きく上回っている。米国企業の半導体エンジニアは「米国は中国の半導体技術を7～8年遅らせようとしている」と見るが、7ナノメートルの搭載は3～4年しか遅れていないことを意味する。「輸出規制が機能していないのではないか」。米国ではこうした懸念が広がった。しかも、米調査会社テックインサイトが同スマホを分解した調査によれば、この7ナノメートルプロセスの半導体を用いた「キリン（Kirin）9000S」はファーウェイの半導体設計子会社・海思半導体（ハイシリコン）が自社開発し、中国最大手半導体メーカーの中芯国際集成電路製造（SMIC）が製造していた。

Mate60 Proの在庫は数時間でなくなり、商品としての評価も高かったが、より大きな文脈では「米国の規制に対する中国の勝利」として中国国内では消費された。レモンド米商務長官を「ファーウェイのブランド大使」と見立て、同氏とファーウェイのスマホを合成した画像が中国国内で瞬く間に拡散した。

スマホに搭載されたチップを巡るファーウェイの復活を本書で取り上げるのは、半導体の地政学が生成ＡＩの文脈でも欠かせないピースだからだ。著書『半導体戦争』でグローバルに複雑に絡み合うサプライチェーンを読み解き、石油をしのぐ「世界最重要資源」として半導体を位置付けたクリス・ミラー氏は次のように語る。

「生成ＡＩによって最先端半導体という計算リソースへのアクセスが重要な要素として加わった。誰がそれを手に入れるかという問題が地政学的に重要な鍵となる。最先端半導体のほぼ全てが、米国で設計され台湾と韓国で製造される。これらのプレーヤーが、計算資源へのアクセスに対してかなりの影響力を持つことになる」

生成ＡＩにおける国家間競争を読み解く上で、半導体サプライチェーンに対する地政学的な文脈は欠かせない。ミラー氏が語った通り、ＡＩで重要なデータ処理を行う「ロジック半導体」のうち最先端プロセスのチップの大部分は米国と英国で設計され、その製造の約９割を台湾が、残り１割を韓国が製造する。半導体製造には多数の材料と工程ごとに細分化した製造装置が使用されており、材料・装置メーカーなしで製造することはできない。各メーカーには当然、得意・不得意があり、世界各国に散らばる。これがサプライチェーンを複雑にしている。例えば、最先端ロジック半導体の製造に不可欠なＥＵＶ（極端紫外線）露光装置は、オランダのＡＳＭＬが独占しており、第2章で見た通り日本企業もウエハープローバーやグラインダーなどの製造装置、パッケージ用素材、モールドといった半導体材料で世界トップシェアを持っている。サプライチェーンが１つの国で完結しないことから、輸出規制には連携が必要になる。

前述の通り、半導体で先手を打ったのはトランプ政権当時の米国だった。その後、バイデン政権もその路線を継承している。国家による半導体戦略はサプライチェーンを考慮した「３つのＰ」がセオリーだ。１つは「プロテクト（保護）」。重要な技術を流出させないための規制を指す。バイデン政権は２０２２年10月、対中半導体規制の対象を14ナノメートル、16ナノメートルのロジック半導体に広げたほか、ＡＩやスーパーコンピューターに関わる半導体製品やソフトウエアも規制対象に加えた。中国における先端半導体の開発に米国人が関与することも禁じ、モノ・ヒトの両面で規制を強化したわけだ。

もう１つのＰは「パートナー（協力者）」だ。ＡＳＭＬや日本の半導体製造装置メーカーを念頭に、同盟国であるオランダや日本が米国の要請にしたがって輸出規制を敷いた。

中国が見つけた米輸出規制の抜け道

しかし、こうした規制強化の中でファーウェイは7ナノメートルプロセスの半導体をスマホに搭載した。米国内では規制が機能していないことへの疑念が広がり、「米中テクノロジー冷戦が新局面に入った」とメディアは報じた。政府は規制の緊急的な見直しを迫られたわけだ。

なぜファーウェイは最先端半導体を製造できたのか。米議会の諮問機関「米中経済安全保障調査委員会」がこの問題を急いで調査した報告書にヒントがある。2022年の規制強化で、米国は14ナノメートルなどの最先端半導体を生産する目的での米国製製造装置の輸出を禁じた。一方で報告書によれば、中国メーカーは比較的古い世代の半導体を製造すると申請すれば製造装置を輸入できるケースがあったという。また報告書は、ファーウェイのチップを製造したSMICが2022年10月以前に先端半導体製造装置をすでに購入していた可能性や、米国が規制に踏み切ってからオランダと日本が追随するまでの「時間差」を利用した可能性についても言及した。米国が規制を敷いたのは2022年10月だが、日本は2023年7月、オランダは2023年9月で9～11カ月のタイムラグがあった。2023年1～8月に中国がオランダから輸入した半導体製造装置の総額が前年同期と比較して約

2倍になっていたと報告書は指摘している。

こうした指摘を受け米政府は2023年10月、さらなる規制強化に踏み切った。中国と関係が近いアラブ首長国連邦（UAE）など45の国や、世界各地の中国企業子会社を対象に加え、第三国経由という「抜け道」を塞いだ格好だ。さらにGPUなどのAI半導体についても基準を強化した。米エヌビディア（NVIDIA）は2022年10月の規制基準を回避するために性能を落としたGPU「H800」などを中国に輸出していたが、こうした動きも規制した。物理的には先端半導体の供給がほぼ全て止まったことになる。

さらに米政府は、「もう1つの抜け道」と考えられてきた供給ルートも遮断する計画だ。確かに規制強化によって、中国の半導体製造は大きな打撃を受けた。一方で、この米中冷戦における米国の目的は「中国のテクノロジー弱体化」にこそある。先端半導体が国内で供給されなくなったとしても、計算リソースが利用できれば中国のAI開発は止まらない。その方法が、まさに第3章で述べたクラウドだった。クラウド経由でGPUなどを利用できれば、物理的にAI半導体がなくともAIの学習ができてしまうからだ。

米商務省は2024年1月、米国のクラウドサービス提供企業に対して、AI関連の外国顧客の報告を義務付ける制度案を公表した。制度案は5月以降に最終決定される見通し。外国顧客の名前とIPアドレスの提出を求めるもので、中国企業を念頭に置いているのは明らか。全ての顧客ではなく大規模なＡＩモデルを開発している場合などに対象を絞る考えだ。

制度案は、中国など海外企業へのクラウドサービスの提供を禁じるものではない。ただし、米政府はこの制度を通して海外企業のクラウド利用実態を把握でき、政府が安全保障上のリスクと判断すれば取引の中止などを要請すると見られる。クラウド提供企業としてＡＷＳやマイクロソフト、グーグルなどが対象になる見込みだ。米国外で米国企業の代理店としてサービス提供している事業者も制度の対象となる。

米国の半導体戦略における３つめのＰは「プロモート（促進）」だ。自国半導体産業の再強化を意味し、２０２２年８月に成立した「ＣＨＩＰＳ法」がその柱となる。第２章で見た通り、米国は先端半導体で先頭を走るが、ＧＰＵで独走するエヌビディアも独自半導体を開発するグーグルやＡＷＳといったテック大手も、自社で工場を持たずＴＳＭＣなどに製造を委託する「ファブレス企業」だ。最終的な組み立てを外国勢に頼れば、台湾有事などで供給が混乱するリスクは依然として残る。ＣＨＩＰＳ法で米政府は国内生産に５００億ドル（約７兆５０００億円）を投じる予定で、民間企業に５０００億ドルの追加投資を要請する。半導体製造の海外依存をリスクとし、政府は国内回帰の旗を振る。

「ＡＩ時代を見据えた世界初のシステムファウンドリーとなる米インテル（Ｉｎｔｅｌ）に、前例のない機会をもたらす」。２０２４年２月、米半導体大手インテルが米カリフォルニア州サンノゼで開いたイベントでパット・ゲルシンガーCEOはこう語った。同社はファウンドリー（半導体製造受託）強化を打ち出しており、同イベントで「2030年までに世界2位のファウンドリー企業になる」という大きな目標を打ち出した。事業を大きく「製造事業部門（インテル・ファウンドリー）」と「製品事業部門」に分け、インテル・ファウンドリーは自社設計に限らず、広く半導体の製造を受託する方針。「製造回帰」の流れは米政府の方針に沿うものだ。

米政府は2024年3月、インテルに対して最大85億ドルの補助金を支給すると発表。CHIPS法による500億ドルの補助金予算から拠出する。すでに米マイクロチップ・テクノロジー（Microchip Technology）などに対して支給を発表しているが、インテルに対する額は桁違いに大きい。政府はインテルに対して最大110億ドルの融資も実行する見通しだ。

その後、米政府はサムスン電子に最大64億ドル、TSMCに最大66億ドルの補助金支給を発表。いずれも米国での工場建設が支給対象だ。バイデン大統領は「2030年までに世界の最先端半導体の2割が生産されるようになる」と半導体の設計だけでなく生産にまで言及した。米国内での生産を強化することで、工場などの移転も促す。補助金を受ける企業には中国での半導体製造に関わる増産投資を10年間、一定程度に制限する条件を課す。

台頭する「中国版エヌビディア」

2015年に発表した「中国製造2025」で、半導体の自国生産率を2035年に75％とする目標を打ち出した中国。国家予算を投入して自国産業を育成するほか、TSMCなどの外資企業を誘致しているが、米調査会社ICインサイトによれば2021年の自給率は16・7％にとどまる。しかも、その内訳は外資企業が10・1％で、中国企業はわずか6・6％に過ぎない。韓国半導体メーカーに所属し中国に赴任しているエンジニアは「中国で5ナノメートル以下の半導体を設計・製造するのは不可能だ」と見る。

その大きな理由の1つが、5ナノメートル以下では必須とされるASMLのEUV装置だ。中国で半導体製造最大手であるSMICは、禁輸されているEUVではなく従来技術であるDUV（深紫外線）装置を使用している。「数年でのブレイクスルーは難しい」（同エンジニア）のが現状だ。

2023年10月に米国が追加規制に踏み切るまで、中国の大手クラウドやAIモデル開発企業は、エヌビディアが規制の基準内に収まるように性能を落としたGPU「H800」を大量に買い込んでいた。野村総合研究所の李氏は今後の中国企業の先端半導体戦略を次のように見通す。「計算リソースは半導体の『質×量』で決まる。選択肢は2つで、1つは質では劣る半導体を量でカバーすること。最先端でなくても資本を投下すれば量は集められる。もう1つは質を高めるための代替品の開発だ。ファーウェイなどのプレーヤーが中心になるだろう」。

H800の輸出も禁止されたエヌビディアは、中国向け製品の開発を急いでいると見られる。2024年3月の自社イベントで記者会見を開いた同社のジェンスン・ファンCEOは「中国に最適化するためにベストを尽くしている」と話したものの、具体的なスペックへの言及を避けた。米国政府が2023年10月に追加の輸出規制に踏み切る以前、エヌビディアのデータセンター向け売上高の20～25%が中国向けであり、その巨大なマーケットは同社の生命線でもあった。一方、追加規制後の2023年11月～2024年1月期は5%程度に急落している。同社のコレット・クレスCFO（最高財務責任者）は2024年2月に開いた決算説明会で「当社はまだ、規制対象製品を中国に輸出するためのライセンスを米国政府から取得していないが、ライセンスが必要ない代替製品の輸出を開始した」と述べた。野村総合研究所の李氏が指摘する通り、国家予算などを投じてこうしたエヌビディア製GPUを大量に購入する動きが今後も広がるだろう。

代替品の開発については、「中国版GPU」が注目を集めている。GPUスタートアップの筆頭が摩爾線程智能科技（ムーア・スレッズ）だ。エヌビディアでグローバル担当副社長などを務めた張建中氏が２０２０年10月に創業したＧＰＵメーカーで、２０２３年12月にはＡＩ向けＧＰＵ「ＭＴＴ Ｓ４０００」やＡＩの学習などを担うプラットフォームなどを発表した。最大の特徴は、エヌビディアの「ＣＵＤＡ」との互換性だ。ＣＵＤＡは第２章で述べた通りエヌビディア製ＧＰＵを動かすためのプログラムであり、世界中のＡＩデベロッパーが利用している。中国も例外ではない。

ムーア・スレッズのプラットフォームはＣＵＤＡと互換性があるため、これまでエヌビディア製ＧＰＵでＡＩ学習のためにＣＵＤＡを使って書いたプログラムコードを、ほぼそのまま同社製ＧＰＵ用のコードとして容易に移行できるという。米国の半導体専門

中国のGPUスタートアップ筆頭である摩爾線程智能科技（ムーア・スレッズ）
（写真：摩爾線程智能科技）

メディアはムーア・スレッズの技術力を「2020年当時のエヌビディアのアーキテクチャーには及ばないが、ある程度のLLMのトレーニングでは利用できる」と評価している。

「中国版エヌビディア」との異名を持つ中科寒武紀科技（カンブリコン）もAI半導体を開発する。2021年に発表した「思元370」は7ナノメートルプロセスを採用し、同社によれば最大演算能力は256TOPSでエヌビディアのA800を上回ったという。壁仞智能科技（バイレン）もAIチップメーカーとして注目を集め、既に1000億円以上を調達している。

もちろん、7ナノメートルプロセスのスマホチップを実用化したファーウェイもAI半導体で本命の1社だ。同社が開発したAIチップ「昇騰（アセンド）910B」はエヌビディアのA100と同等の性能を持つとされる。海外メディアはバイドゥなどの中国テック大手が、エヌビディア製GPUの代替品としてアセンドを利用し始めたと報じており、厳しい輸出規制下の中でこうした動きが加速しそうだ。

EU「AI法」の思惑

これまで見てきた技術あるいはサプライチェーンを巡る輸出規制に加えて、国家間競争にはもう1つの軸がある。それが技術を規制するルールづくりだ。AI規制を通じて、各国は主権争いを繰り広げている。

「規制に当たっては『イコールフッティング』を重視してほしい。さもなければ、他国で展開しているサービスがあなたの国では提供できず、消費者の利便性が低下してしまう」。これは、米巨大テック企業などがロビイングで使用する常套句だ。イコールフッティングとは、「条件の同一化」を指す。商品やサービスの展開に関して他国と規制の足並みをそろえることが消費者の利益になるというのがテック大手の論理だ。各国・地域の生成AI規制を巡る議論でも、米国企業の複数の渉外担当者は「ビッグテック各社はこの方針を変えていない」と証言する。それぞれの地域で規制が違えば、ローカライズや追加の規制準拠が必要になり、企業に追加コストが生じる。それを避けるのがビッグテックの思惑であり、規制関連のロビイングの鉄則と言える。

逆に言えば、規制というルールによって巨大企業のプラットフォーマーとしての力をそぐことができる。これが、各国がルールづくりで主導権を争う理由の1つだ。

AI規制については、生成AIが爆発的に流行したこの1年程度で世界的なトレンドがはっきりしてきた。1つは規制当局が認識するリスクの範囲が広がったこと。生成AI以前から、AIの差別的な振る舞いやプライバシーの侵害などはリスクだったが、生成AIの登場で「人類に対する危険性」が新たなリスクとして加わった。ＡＩモデルが加速度的に進化することで、人間を上回る知性に対する漠然とした不安が広がっているからだ。「安全保障上のリスク」としてＡＩが認識されるようになった。

もう１つは規制手法の変化だ。生成ＡＩ以前は、大まかに言えば法規制をするかしないかという二元論が各国の規制当局でも根強かった。それが、米国や日本を中心に「自主的なガイドライン」として行動規範を促すような柔軟性のある規制手法が広がってきた。

これらの２つのトレンドは、生成ＡＩの開発速度が異次元であることを象徴している。経済産業省でデジタルプラットフォーム取引透明化法の策定などに関わり、現在は米ロバストインテリジェンス（Robust Intelligence）で政策企画を担当する佐久間弘明氏は「ルールをつくる規制担当者にとって、１週間単位で技術が進化するようなテーマを扱うのは初めてだ」と話す。規制もより柔軟で幅広い対応が求められるようになってきた。

こうした変化の中で、各国・地域はそれぞれの思惑でＡＩ規制に踏み切っている。各地域の戦略を見てみよう。

最も厳しい規制を設けているのが欧州連合（ＥＵ）だ。ＥＵの立法機関である欧州議会は２０２４年３月、世界で初めてＡＩを包括的に規制する「ＡＩ法（ＡＩ Ａｃｔ）」の法案を賛成多数で可決した。２０２４年前半には成立し、２０２６年に適用される見込みだ。ＡＩ法はＥＵの法体系で「統一ルール（二次法）」の規則に当たり、加盟各国はそれぞれの国会での議論を待たず批准が必須となるため、加盟国全てで全面適用されることになる。「ＥＵ一般データ保護規則（ＧＤＰＲ）」と同じ扱いだ。

「ハードロー」と呼ばれる厳格な規制であり、最大の特徴は個別のユースケースやサービスを規制の対象とする点にある。ＡＩによるリスクを「許容できないリスク」「ハイリスク」「限定リスク」「最小リスク」の４つに分類し、それに応じて禁止事項や義務を定めた。最も厳しい許容できないリスクには潜在意識への操作や社会的スコアリング、顔認証によるデータベース化などが含まれ、全面的に禁止とした。２番目に厳しいハイリスクについても、重要インフラの管理や教育、雇用など特定分野のＡＩシステムなどについては事前の適合性評価を義務付ける。ＥＵにＡＩを市場投入する提供者が対象となり、かつサービス提供の過程でＡＩを利用するケースも適用対象となる点に注意が必要だろう。

ＧＤＰＲと同じく、制裁金も高額だ。許容できないリスクに対する違反には４０００万ユーロ（約67億４０００万円）または全世界売上高の７％、ハイリスクに関する違反には２０００万ユーロまたは全世界売上高の４％の制裁金が科せられることとなる。「個別のサービスを対象としているので、例えば日本企業がＣｈａｔＧＰＴを裏側で利用してＥＵでサービスを提供する場合でも、ＡＩ法の対象となる」。ＰｗＣコンサルティングの上杉謙二ディレクターはこう解説する。つまり、外部のＡＩモデルを利用しており、そのモデルを利用したことで不備が見つかったとしてもサービス提供者の責任となるわけだ。

ＥＵは技術の「消費者」にはなりたくない

ＥＵがここまで厳しい規制を課す背景には何があるのか。ロバストインテリジェンスの佐久間氏は「３つの層で考えないと本質は見えてこない」と言う。「人権への意識」「域内でのＡＩによる事故やトラブルの影響」「地政学的な戦略」だ。

ＥＵは発足時から欧州単一市場を安全に形成するというミッションを持つ。「ナチスの台頭など様々な問題の反省から生まれており、民主主義を守るという思想が通底している」（ＰｗＣ日本法人でデジタルガバナンスなどを専門とする宮村和谷執行役）。人権意識はもともと強く、それが個人情報保護を厳しく定めたＧＤＰＲなどにもつながっている。ＥＵ内でもＡＩによるプロファイリングなどの問題が発生しており、ＡＩの悪影響に対する警戒心も強かった。

その上で、佐久間氏は「地政学的な文脈が大きい。プラットフォーマー規制で国際的な基準を先につくり、彼らの存在感を弱めようという思惑がＡＩの文脈でも透ける。成功体験があるからだ」と指摘する。成功体験の1つがGDPRだ。2016年の制定以降、世界中の企業が規制に対応するため、データ収集や保存などに迫られた。企業だけでなく世界各国に対しても政策決定の過程で影響を及ぼし、実質的な標準となったわけだ。こうした影響力の行使は、EUが本部を置く都市名を関して「ブリュッセル効果」と呼ばれるようになった。

「EUはAIのリーダーになりたいと考えている」。EUの執行機関である欧州委員会で駐米デジタル上級特使を務めるジェラルド・デ・グラーフ氏はAI法の目的を次のように説明する。「EUはいくつかの技術分野で『消費者』となっている。その多くは米国から提供されている技術だ。私たちはそのような状況を望んでいない。AIについても同様だ。EUは他国のテクノロジーの消費者にはなりたくないのだ」。AI法がプラットフォーマーに対するけん制であることは明らかだろう。

グラーフ氏は規制がイノベーションにつながるとの認識も示した。「なぜ規制に対して人々は常に否定的な見方をするのか。すぐに『イノベーションを阻害する』と言う。米カリフォルニア州には厳しい排ガス基準がある。それによって産業界で何が起こったか。排ガスに関する大きな技術革新があった。EUの規制は多くの場合、開放的であり、(企業を)束縛するものではない」と主張した。

米国は規制にかじを切ったのか

一方、GAFAMなどのプラットフォーマーを自国内に抱える米国でも、生成AIの開発に一定の歯止めをかけようとする動きがある。バイデン大統領は2023年10月にAIの安全性確保に関する大統領令を発令。ただし罰則は見送られ、EUと違って個別サービスについての規制には踏み込んでいない。「ソフトロー」と呼ばれる比較的弱い規制で、企業への配慮を示した。その内容も、米国内のAI開発主要15社と合意した自主的なルールが中心。AIでトップを走る米国企業の覇権争いをサポートするために連携した格好だ。

「弁護士を37年やっているが、100ページにわたる大統領令を見たことがない」。米法律事務所モルガン・ルイスのジョバンナ・M・チネリ弁護士がこう言う通り、大統領令は規制だけでなく、AI人材のビザ発給緩和やプログラム開発などの教育など、促進策も多く盛り込んでいる。個別具体のサービスに対する規制に関しては、米商務省の国立標準技術研究所（NIST）がまとめたAI技術のリスク管理のためのガイダンス「AIリスクマネジメントフレームワーク（AI RMF）」で指針を示している。

ただし、米国政府のプラットフォーマーに対する態度は応援一色というわけではない。米司法省と米連邦取引委員会（FTC）はプラットフォーマーを規制する姿勢を強めており、

2023年以降、グーグル、アマゾン、アップルをそれぞれ反トラスト法（日本の独占禁止法に相当）違反で訴えている。しかも訴訟の対象はネット広告、ネット通販、iPhoneというそれぞれの企業の本丸事業だ。マイクロソフトによるオープンAIへの出資を巡っては反トラスト法違反に抵触する可能性があるかをFTCが予備調査しているとの報道もある。歴史的にテック企業の拡大を許容してきた米国政府は態度を徐々に硬化させており、生成AIに対しても規制当局が目を光らせる。

日本は2023年の主要7カ国首脳会議（G7広島サミット）のホスト国として「広島AIプロセス」を立ち上げ、生成AIのリスクへの対処を目的とした国際的な枠組

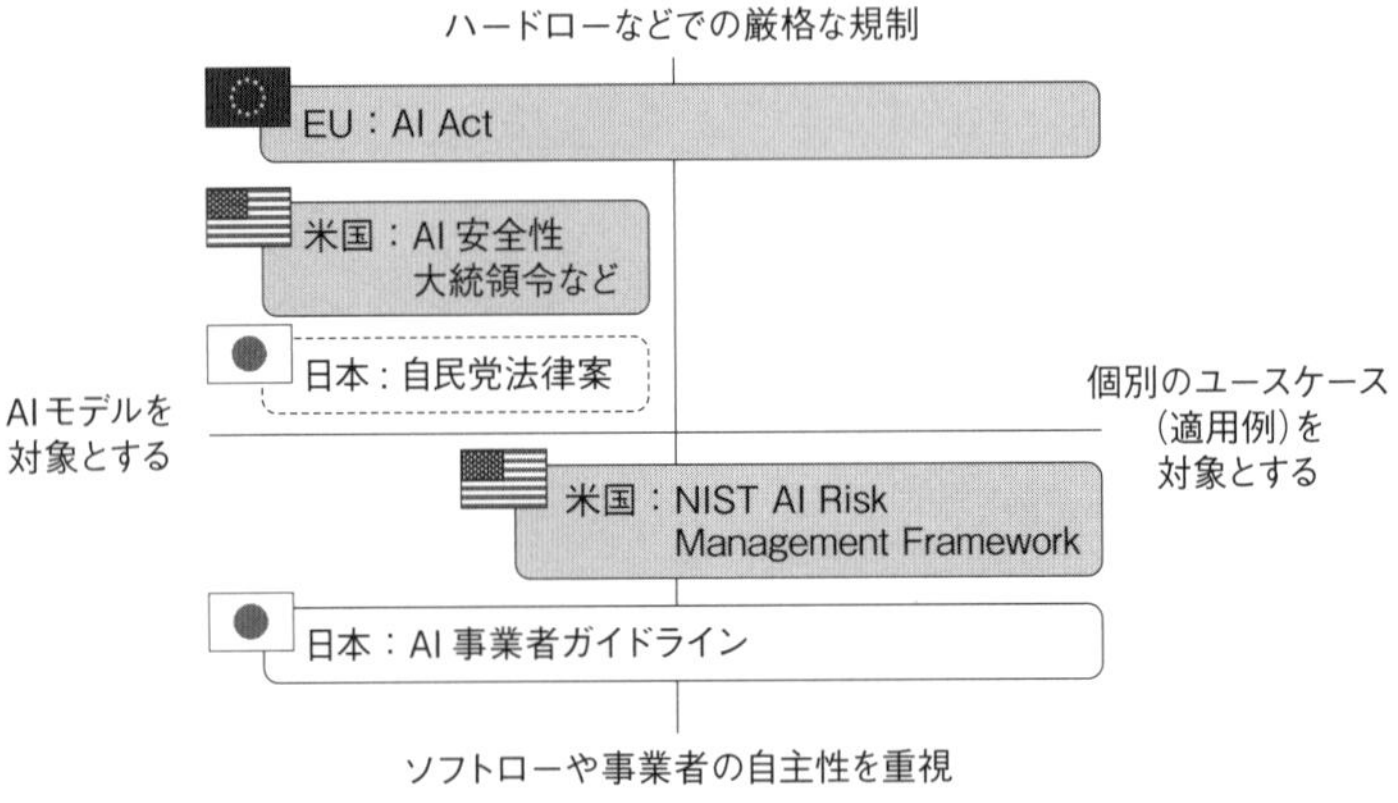

各国・地域のAI規制の特徴。EUがハードローでサービスまで広く規制するのに対して、米国は自主的なガイドラインで行動規範を示している
（出所：ロバストインテリジェンスの資料に筆者が加筆）

みである「包括的政策枠組み」をまとめた。ただし、中国、ＥＵ、米国に比べて国内のＡＩ規制がまだはっきりとまとまっていない。経済産業省と総務省がこれまでの事業者向けＡＩガイドラインとして存在していた３つのガイドラインを統合し、２０２４年４月に「ＡＩ事業者ガイドライン（第１・０版）」として公開した。内閣府のＡＩ戦略会議に報告し、正式なガイドラインとなったものだが、生成ＡＩに特化した動きは他国・地域と比較して弱い。法規制については、「データを安全に扱えることが国際的な安全保障の議論に入るための条件になる」との見方も出ており、自民党が生成ＡＩに対象を絞った基本法の検討を進めている。

日米欧のＡＩ規制をまとめると、欧州が最も厳しくモデルとサービスの双方を縛り、米国と日本はモデル側を法規制で、サービス側を自主性に任せたガイドラインやフレームワークで縛っている。中国は前述の通り、主に国内事業者を見据えた垂直型の規制を敷いている。

ＥＵの思惑通りに「日本と米国の基準でサービスを展開しようとするとＥＵでの市場投入は難しくなる状態」（ＰｗＣコンサルティングの上杉氏）のため、ＧＡＦＡＭなどのサービス提供者はＥＵ向けのローカライズが必要になる。ただし上杉氏は「ＧＤＰＲのケースではいくつかのポータルサイトがＥＵから撤退した。同様の動きが出てきてもおかしくない」と見る。ルールによって影響力を行使するその手法は、ハードルの高さゆえに域内のサービスレベル低下を招く恐れもある。ＡＩ規制による覇権争いはまだ結論が出ていない。

一方で、セキュリティーやガバナンスなどは「日本企業の得意分野」（ロバストインテリジェンスの佐久間氏）でもある。日本国内のソフトウエア開発会社のエンジニアは「今後は、AIガバナンスを担保する第三者認証のような動きが出てくる」と読む。ガバナンス認証がない企業とは取引しないという商慣習が当たり前になるかもしれない。佐久間氏は「安全な開発・実装が得意な日本企業がガバナンスを武器に国際展開できる可能性はある」と見る。

2024年4月の日米首脳会談に合わせて相次いだ米大手テック企業による対日投資も好機だろう。マイクロソフトは今後2年間で4400億円を投資し、AIやクラウド関連を強化する。グーグルは1500億円を投じる日米間の光ファイバーケーブル新設を明らかにし、米オラクルは1兆2000億円を使って今後10年間でクラウド基盤の強化を進める。『半導体戦争』の著者であるミラー氏が「計算資源を誰が握るかが鍵となる」という通り、半導体やクラウド基盤は生成AIに欠かせない要素だ。実質的にその2つを海外企業に頼る日本にとって、まずは日米の関係強化による共同戦線が現実的な選択肢となる。

一方で、AI規制については従来型のルールでは対応できないという論が根強い。EUのAI法の影響を注視する一方で、イノベーションを妨げない形の柔軟な規制が求められている。政府だけでなく、企業や個人などのステークホルダーが臨機応変に制度や枠組みを改善する「アジャイル・ガバナンス」の考え方が欠かせないだろう。

Interview

誰が計算資源を手に入れるのか
生成ＡＩ以降の半導体戦争

『半導体戦争』著者　米タフツ大学フレッチャー法律外交大学院国際歴史学准教授
クリス・ミラー氏

半導体を巡る覇権争いを各国の経済政策とグローバルサプライチェーンから明らかにし、米国でベストセラーとなった『チップ・ウォー』（日本語翻訳版のタイトルは『半導体戦争』＝ダイヤモンド社）。出版されたのは２０２２年10月で、生成ＡＩによる半導体の地政学への影響は描かれていない。輸出規制の応酬や米国による製造回帰の動き、中国の先端チップ製造能力をどう見ているのか。著者のクリス・ミラー氏に生成ＡＩ時代の競争原理を聞いた。

――生成ＡＩの登場が半導体の地政学にどのような影響を与えると見ていますか。

２つのことが言えるでしょう。１つはＡＩの学習において計算資源に制限が生じていることと。ご存じの通りＡＩの基盤モデルのトレーニングに掛かるコストは数千万ドルから数億ドルにのぼります。それでもエヌビディア製のＧＰＵや高帯域幅メモリーは２０２３年からずっと不足している。こうしたリソースが制限される世界では、誰がそのパワーを手に入れるかという問題が非常に重要になります。２つめは影響力が集中していること。世界のハイエンドな計算資源のほぼ全てが米国企業によって設計され、台湾と韓国で製造されています。つまりこの３カ国・地域は「誰が計算資源を手に入れるか」を解く上でかなりの影響力を持つことになります。米国は実質的に中国国内の計算資源へのアクセスを奪い、最先端チップを中国の外側にとどめようとしている。つまり、計算資源を米国がコントロールできる状態なのです。

――今おっしゃった影響は、過去の半導体地政学の延長線に位置するものですか。それとも新しいフェーズと言えるのでしょうか。

私は延長線にあると捉えています。初めて「チップ」が発明されて以来70年間、ハイエンドな計算資源にアクセスする権利や能力は、経済的にも技術的にもそして戦略的にも物事を前進させる鍵でした。それは変わりません。現在はハイエンドのメモリーとプロセッサーを生産できるのは２～３カ国・地域しかありません。この「集中」が過去20年間の重要なトレンドであり、それまでのチップ生産と大きく異なる点なのです。それは生成AI以降も変わっていません。

——今指摘された集中についてもう少し詳しく教えてください。地政学的には、その集中を分散させようとする動きが起こっているように思えます。

TSMCが先端プロセッサーの9割を製造し、サムスン電子とSKハイニックス、マイクロンテクノロジーの3社だけが先端メモリーを製造できる。そして、世界のハイエンド露光装置の全てをオランダのASMLが握っています。おっしゃる通り、今起こっているのはこうした集中を緩和しよう

クリス・ミラー氏
1987年米国イリノイ州生まれ、マサチューセッツ州ベルモント在住。タフツ大学フレッチャー法律外交大学院国際歴史学准教授。フィラデルフィアのシンクタンク外交政策研究所（FPRI）ユーラシア地域所長、マクロ経済・地政学のコンサルタント会社、グリーンマントルのディレクターも務める。米紙ニューヨーク・タイムズ、米紙ウォール・ストリート・ジャーナルなどに寄稿し、新鮮な視点を提供している気鋭の経済史家。ハーバード大学にて歴史学学士号、イェール大学にて歴史学博士号取得（写真提供：クリス・ミラー氏）

とする動きです。ただそれは生成ＡＩによるものではなく、地政学的な文脈で起こっているのです。ＡＩが主導しているのではなく、政治的なプロセスが動かしているのです。

米国は台湾周辺への製造能力の集中を懸念しており、日本や欧州各国はそもそもプレーヤーが少な過ぎて安定供給ができないことを懸念している。これらは生成ＡＩのブームと同時に起こっていることですが、ＡＩがそれを促進しているわけではありません。

エヌビディアが直面する競争

――では生成ＡＩのブームで変化があったのはチップに対する需要だけということでしょうか。

需要が圧倒的に増えたことに加えて、要求されるチップの種類が変わったことも挙げられます。現在はＡＩの学習やアプリケーション向けに設計された「アクセラレーターチップ」に注目が集まっています。生成ＡＩ以前は、もっと汎用的なプロセッサーに需要が集まっていました。エヌビディアのＧＰＵは生成ＡＩ以前からエヌビディアに利益をもたらしていましたが、それがブームで一気に加速しました。

――地政学的な動きも含め、エヌビディアに死角はあるでしょうか。

私は歴史家であって未来を見通せる人間ではありません。ただ事実をベースに述べるなら、エヌビディアはデータセンター向けのＧＰＵで非常に強いポジションを築いています。しかし将来的に、ＡＩシステムはデータセンターだけでなくスマートフォンや自動車、コンピューターなどのネットワークエッジでも実行されるでしょう。そうしたエッジコンピューティングの領域ではエヌビディア製ＧＰＵの市場競争力はそれほど高くありません。エッジ側のユースケースやニーズが増えれば増えるほど、エヌビディアはより多くの競争に直面することになるでしょう。

――米国政府はエヌビディア製ＧＰＵなどの輸出規制を続けており、２０２３年10月にはそれまで中国向けに販売していた「Ｈ８００」などの輸出も禁じました。一方で、同社にとって中国は大きく魅力的な市場でもあります。先端半導体の輸出規制は今後も続くと見ていますか。

米国は中国に対して、長期的な戦略的競争を仕掛けているのです。対象は貿易だけではありません。軍事も含めた戦略的なものです。米国はこうも考えています。この競争において能力を決定する重要な要因はテクノロジーである、と。米国はチップをはじめとする計算資源の供給で優位に立っています。米国とそのパートナーが、現在は世界のＡＩチップのほぼ全てを生産している。政府はその優位性を自国や同盟国が有利になるように利用し続けるでしょう。

――中国の戦略はどうでしょうか。国内に有力なGPUメーカーが存在せず、「中国製造2025」で目標としている半導体自給率には遠く及ばない状態です。生成AIの領域で存在感を高めるには何が必要でしょうか。自前の先端半導体を製造できる可能性は。

独自チップの製造については「ある程度は」可能でしょう。例えばファーウェイはエヌビディア製GPUの能力に近いチップをつくれることが分かっています。ただ問題はどの程度の規模かという点にあります。供給量の面では米国などが圧倒しています。2025年までの重要な観点は、中国がどれだけの数のチップを製造できるかなのです。米国や日本などは最先端の製造装置に中国がアクセスできないような政策を進めており、中国は効率的な大量生産が難しいという課題に直面しています。

――著書『半導体戦争』では、中国が台湾に侵攻しTSMCなどの工場を占拠する可能性は低いと予測しました。では中国が次に打つ手はなんでしょうか。

中国の外交政策を考慮すると、自力で最先端技術を開発するしかありません。中国政府は米国だけでなく、台湾、日本、インドなどほぼ全ての近隣諸国・地域と競争するという外交政策を採っており、反対にそれらの国から技術的な制約を受けています。関係が悪化している近隣諸国は技術を提供しません。

しかし、自力での開発は非常に困難を極めるでしょう。今日世界をリードする企業を見てみると、本社が日本だろうが米国だろうが台湾だろうが、実は他国にも拠点を置く多国籍企業がほとんどです。つまり、世界中の専門知識で半導体産業は成立している。それに対して中国だけが単独でやっていこうとしているわけですから。

――グローバルなサプライチェーンの中で、中国にとって最もボトルネックになっている要素は。

最大のボトルネックはASMLがトップシェアを持つ露光装置のような製造ツールです。並外れた精度が要求され、この分野で中国が今持っている能力は限られています。短期間での開発はもちろん、長い期間をかけても同様の精度を達成するのは難しいでしょう。

――次に日本について伺います。『半導体戦争』では日本の半導体産業の凋落も分析されています。今後、AI時代において日本は存在感を示せるでしょうか。例えば、ラピダスは新しい半導体メーカーですが、TSMCのような巨人に対抗できるのでしょうか。

日本の半導体産業を見る上で大事な視点は、規模よりビジネスモデルです。1980年代から90年代初頭にかけて、日本は生産量を爆発的に増やして米国企業を凌駕《りょうが》しました。しかしどの企業も採算を重視せず、もうからなかった。これが根本にあります。量的には成功したが、財務的に持続可能ではなかったのです。今、中国はビジネスモデルより生産量に焦点を当てているという点で、日本と同じ過ちを犯そうとしているように見えます。

日本が凋落したという指摘は市場シェアからすればその通りですが、「効果的なテクノロジーを保有している」という点では間違っています。信越化学工業や東京エレクトロンのような収益性が非常に高い企業が存在し、特に素材と製造装置の分野では優れている。ビジネスモデルの点では、1980年代よりずっと成功していると言えるでしょう。

「ラピダスの2つの賭けは正しい」

ラピダスについてですが、ファウンドリーは非常に難しい事業です。規模の経済が働く一方で収益性も求められる。それは歴史が証明してきました。一方で、彼らはその規模の経済が今後2～3年で重要性を失い始めると考えているのでしょう。背景には2つの理由があると考えます。

1つは、今後の半導体における技術革新の重要な分野が、チップの組み合わせとパッケージングにあるという見方です。そして恐らく彼らは、先進的なパッケージングがこれまでの構造とは異なるものになると見ている。これが、彼らが狙うエリアの1つでしょう。

もう1つは、最先端チップを欲しがる企業は増えても、そのチップを設計する専門知識を自社で保有する企業が必ずしも多くない点にあります。つまり、AI時代には自動車業界など様々な企業にとって自社の製品向けの最先端チップが必要になりますが、それを実際に設計・製造する専門知識を持っていない。ラピダスのような企業と緊密なパートナーシップを築いて、特定の要件に合わせた設計と製造を支援してもらう必要があります。ラピダスは、イノベーションがパッケージングに移ること、そして多種多様なニーズが発生し、カスタマイズが必要なこと。この2つに賭けているのです。そして私は、この2つの賭けはどちらも正しいと思う。業界がどう変化するかは不透明ですが、彼らには効果的なビジネスモデルがあります。

――生成AIの勝者と敗者を分ける決め手をどう見ていますか。

一般的に勝者を決めるのはまだ早い段階でしょう。その前提で、独自のデータにアクセス可能で、そのデータから学べる企業は勝ち組になるでしょうね。今のところ、巨大テック企業が勝者のように見えますが、それが未来永劫続くか分かりません。同様に、米国は今のフェーズでの勝者でしょうが、中国を除外することはできないでしょう。

——歴史を参照すると、過去に勝敗を分けたルールは存在したのでしょうか。

勝者になった企業は皆、技術的なトレンドを先取りしています。誰もが最高の技術を欲しがり、2番手の技術は安くても誰も欲しがりません。今のエヌビディアがそうでしょう。同社が最高のGPUを持っているからこそ、高価でも需要があるのです。これが本当に大事なポイントで、どんな企業でもイノベーションを起こさず最高の技術でなくなった瞬間に後れを取り、製品は急激に廃れてしまいます。半導体産業にとって技術的なトレンドを読むことは特に大切なのです。

インタビューは2024年3月に実施した

第 5 章

人類 vs. AI

AIゴールドラッシュの勝者と敗者

[キーワード解説]

■ディープ・ブルー

米IBMが開発したチェス専用スーパーコンピューター。1秒間に2億手を読むとされ、1997年に当時の世界チャンピオンであるガルリ・カスパロフ氏を2勝1敗3引き分けで破った。現在ではアルゴリズムの改良などで一般的な消費者向けソフトでさえチェスのトッププレーヤーと互角の実力を持つとされる。

■デジタルレプリカ

表情や身体をスキャンして作成する人間そっくりのレプリカ。生成AIを利用すればデジタル空間上を自由に動くデジタルレプリカが作成できる。米ハリウッドでは、将来的なキャリアや職能への懸念から2023年夏にストライキが起こった。

■フェアユース

米著作権法で定義されている「公正利用」の概念。報道や教育などの公の目的があることや、著作物の価値に対する影響などを勘案して、著作物の複製などの行為が権利の侵害にならないというルールを指す。著作権を巡る訴訟では、被告側がフェアユースを理由として争うことが多い。日本の著作権法では定められていない。

■ディープフェイク

人物の音声や動画を人工的に合成する処理技術。一般にはフェイク動画・偽動画そのものを指すことが多い。著名人があたかも本物のように動いたり話したりするため、相手をだます手法の1つとして台頭。個人への詐欺に加えて動画共有サイトに投稿して世論を操作する手法としても利用されている。近年はサイバーセキュリティー上の脅威としても注目を集めている。

■シンギュラリティー

米国の思想家であるレイ・カーツワイル氏が提唱した概念で、「技術的特異点」を指す。様々な解釈があるが、一般には「AIが人間よりも賢くなる時点」を指すことが多い。同氏は2045年ごろに到来すると予想しているが、生成AIの台頭で特定の領域に限定すれば既にシンギュラリティーが到来しているとの意見もある。

■AI兵器

AIを搭載した兵器で、特に機械自らが判断して駆動する兵器を指すことが多い。自律型致死兵器システム（LAWS）とも呼ばれ、現実の戦争・紛争で使用される可能性が高まっている。国際的に禁止する法的な枠組みは定まっていない。

200年にわたって議論されてきた「人間と機械の競争」。生成AI（人工知能）の登場で、パターン化された定型業務だけでなく人間の「サンクチュアリ」と言われてきた創造的な非定型業務も競争の対象になった。雇用を奪われる危機感から米国ではストライキが勃発。著作権を巡る訴訟が相次ぐほか、ディープフェイクやAI兵器といった負の側面もある。AIの開発を止める術がない状況で、悪用などをどう捉えるべきなのか。AIと人間の関係が新しいフェーズに突入する中、ゴールドラッシュの勝者と敗者が見えてきた。

AIに敗れたチェス王者

1996年2月、史上最強のチェスプレーヤーの1人とされるガルリ・カスパロフ氏は、「人類代表」として落ち着かない様子でチェスボードの前に腰を掛けた。対戦相手は人間ではない。米IBMが開発したチェス専用スーパーコンピューター「ディープ・ブルー（Deep Blue）」である。カスパロフ氏は後に登壇したイベントで、当時の心境を次のように打ち明けている。「すぐにそれまでとは違うものを感じた。それは落ち着かない何かだったんだ。似た感覚を自動運転車に初めて乗る時やコンピューターの上司から仕事の指示を受ける時に、を経験するかもしれない」。

カスパロフ氏はこの年のスーパーコンピューターとの対戦を3勝1敗2引き分けで勝利したが、翌1997年の再戦ではより高速なハードウエアを搭載したディープ・ブルーに1勝2敗3引き分けで負けた。チェスの世界チャンピオンがコンピューターに敗北するのは初めてだった。「人間の思考能力を象徴するゲーム」とされたチェスでのカスパロフ氏の敗北は、「人類の敗北」とセンセーショナルに報道された。

機械と人間は常に競争の文脈で語られてきた。特にチェスや囲碁、将棋など1対1の知的競技は分かりやすいユースケースとして各社がこぞって開発してきた経緯がある。ディープ・ブルーがカスパロフ氏に初めて勝った際には、コンピューターがあらゆる文脈で人間を追い越す日も近いとの意見もあった。ただ、25年以上たった今、そんなことは起こっていない。ディープ・ブルーは大量のプログラムコードを人間が手で入力し、効果があると考えられる全ての手筋を洗い出して評価するという「力技」で1秒間に2億手を読んだ。しかしこの方法は第2章で前述した通り限界を迎え、AI自身が知識を獲得する機械学習、特にディープラーニングに取って代わられた。

2016年には「最後のゴール」と呼ばれた囲碁でも人間が敗北した。囲碁は19×19という盤面の広さから手筋のバリエーションが10の360乗通りあり、その手筋の分岐は宇宙に存在する原子の数よりも多いとされる。チェスや将棋よりはるかに複雑だ。AIの専門家の中でも「囲碁でAIが勝利するのはしばらく先」との意見が根強かった。その囲碁で、トップ級の棋士だった韓国のイ・セドル九段が米グーグル（Google）傘下の英ディープマインド（DeepMind、現在のGoogle DeepMind）が開発したAI「アルファ碁」に敗れた。従来のように膨大な組み合わせから論理的に手筋を決める「ルールベース」の手法ではなく、勝ちパターンをAIが「学習」した成果だった。アルファ碁のソフトウエアは、実は囲碁のルールさえ知らない。過去の対局の碁譜を基にトレーニングしたほか、AI同士を対局させる「強化学習」によって鍛え上げられている。

史上最強のチェスプレーヤーの1人とされるガルリ・カスパロフ氏。1997年に米IBMのチェス専用スーパーコンピューター「ディープ・ブルー」に敗北した
（写真：米IBM）

AI同士の対局は実に数千万回。負けた結果から最善の手ではなかったことを自ら学習し、同じ局面では違う手を打つわけだ。

最後のゴールとされた囲碁以降も、ディープラーニングは人間との勝負で画期的な成果を挙げている。それが「不完全情報ゲーム」と言われる領域だ。チェスや将棋、囲碁などは盤面の情報が全てであり、プレーヤーはゲームの情報を完全に把握できる。こうしたゲームを「完全情報ゲーム」と呼ぶ。一方の不完全情報ゲームは、相手の手札が見えなかったり次に引くカードの中身が分からなかったりして、情報が隠されている種類のゲームを指す。ポーカーやマージャンなどが当てはまる。ポーカーなどでは人間が表情を読むといった駆け引きが必要になり、「ブラフ」によって相手を惑わせるといったテクニックもある。その複雑さだけで難度を測ることができず、完全情報ゲームとは異なる尺度が必要となる。こうした理由で、長らく「AIが人間に勝つのは難しいのではないか」との意見もあったゲームだった。

しかし、これらの条件にもかかわらず、2017年には米カーネギーメロン大学が開発したAIがポーカーの一種である「テキサスホールデム」の1対1の対戦でプロの世界チャンピオンに勝利した。ブラフなどの人間のテクニックさえ学習によって克服したのだった。

現在、ゲームにおける人間と機械の競争は、不完全情報ゲームの中でも隠された情報の量が多いマージャンなどが対象となっている。不確定情報が多ければ多いほど、現実世界の中で人間が意思決定する場面と状況が近くなる。ゲームでの競争はビジネスなどに近い領域にまで到達しているわけだ。

現実化した「AI失業」の衝撃

ゲームだけではない。「人間と機械の競争」は産業革命の当時から「機械が人間の仕事を奪う」と喧伝《けんでん》され、２００年以上にわたって議論の対象となってきた。２０１１年に米マサチューセッツ工科大学の研究者２人が自費出版した『機械との競争』は、２００８年のリーマン・ショック以降に雇用が回復せず失業率が高止まりしている理由を、ポール・クルーグマンが唱える景気循環説でもタイラー・コーエンが主張するイノベーション停滞説でもなく、「技術の進歩が速すぎることが雇用を喪失させている」という新説で説明し、米国でベストセラーとなった。著者であるエリック・ブリニョルフソン氏とアンドリュー・マカフィー氏の２人は、機械が人間の仕事を奪うスピードが、人間が雇用を生み出すスピードを上回っていると説いた。いわば、人間と機械の競争で人間が負け始めていると主張したわけだ。

２人は著書の中で生成ＡＩの登場を予言していない。単純作業をこなす機械ではなく、より創造性を発揮し「創作」の領域に入り込んだＡＩの登場は、「人間と機械の競争」をさらに複雑にしている。従来、機械に奪われる仕事はパターン化された定型業務であり、ホワイトワーカーが価値を生む非定型の仕事は人間のサンクチュアリだと言われてきた。今やその常識は崩れつつある。

2023年7月、米ハリウッドにある米ネットフリックス（Netflix）や米アマゾン・ドット・コム（Amazon.com）のスタジオ前は、黒いTシャツを着たデモ隊で埋め尽くされていた。プラカードには「ストライキ」の黄色い文字。俳優など16万人が加入する全米映画俳優組合はAIを使った映画制作などの条件面で制作会社と折り合わず、ストに突入した。「AIに仕事を奪われる」という危機感が行動を促したのだ。5月には脚本家などが加入する組合が既にストに入っており、両組合による同時ストは63年ぶりとなった。

制作会社が俳優の表情や声などをデータとして収集しAIに学習させれば、その俳優そっくりの「デジタルレプリカ」を理論上つくり出せてしまう。さらに高度な動画生成AIなどの登場で、将来的にテキストによる指示だけでその分身が作中を自由自在に動き回る日が来るかもしれない。そうなれば俳優の仕事が奪われるばかりか、アイデンティティーさえ失われかねない――。その危機感は相当なものだった。

制作会社側との交渉は幾度となく決裂。その大きな理由がAIに関する条件面にあった。ストは100日以上続き、制作会社側は結局、脚本家組合に対しては「AIが生成した脚本を著作物とはみなさないこと」、俳優組合に対しては「デジタルレプリカを生成する際にはインフォームドコンセント（説明と同意）と報酬が必要」と歩み寄り、闘争は終結した。

デジタルレプリカに関してはエキストラに対しても同様の条件を勝ち取り、複数人の顔などのパーツから人間に模した生成をする場合には、その全員からの同意が必要という条件も取り付けた。制作会社にとってはかなり厳しい条件と言えるだろう。日本の動画制作会社のエンジニアは「誰かのパーツを使って架空の人物を作るのは実質的に不可能と言える条件だ」と見る。

ハリウッドの俳優たちが懸念した「ＡＩ失業」は既に始まっている。米再就職支援会社のチャレンジャー・グレイ・アンド・クリスマスは２０２３年、定期的に発表している人員削減リポートに「ＡＩによる解雇」を初めて分析対象として加えた。「２０２３年の１年間だけで４２４７人の人員削減の直接的な理由がＡＩだった。これは注目に値する」。同社のアンドリュー・チャレンジャー上級副社長はこう分析する。

例えば２０２３年４月に全従業員の16％に当たる５００人のレイオフ（一時解雇）を発表した米ドロップボックス（Ｄｒｏｐｂｏｘ）。ドリュー・ヒューストンＣＥＯ（最高経営責任者）はレイオフに当たって声明を発表し、その理由がＡＩにあると説明した。ＡＩ時代の到来で「我々の目の前にある機会はかつてなく大きくなっている」とし、「それをつかむために緊急的に行動を起こす必要がある」と説明。ＡＩの製品開発において専門的な人材が必要であるとしており、「ＡＩによる代替」というよりＡＩを使ったビジネスを拡大するために人材の入れ替えが必要であるという理由だ。

米マッキンゼー・アンド・カンパニー（McKinsey & Company）は２０２３年6月に発表したリポートで、生成ＡＩや関連技術が従業員による作業の60～70％を自動化する可能性があると推定した。従来の予測では50％程度としていたが、生成ＡＩの登場でその割合を引き上げた。しかも、生成ＡＩは自然言語による仕事を代替することから「賃金や教育要件が高い知的労働に大きな影響を与える」と分析している。これまで機械の競争で影響を受けやすかったのはブルーワーカーであり、過去の技術革新とは正反対な代替が起こることで「長年かけた学位取得の努力が無に帰す可能性がある」と指摘した。

ＡＩが人間を使ってタスクをこなす——。こんな未来も現実になりつつある。米国で開発が進むＡＩエージェントアプリ「ペイマン（Ｐａｙｍａｎ）」のキャッチフレーズは「人間に報酬を支払うＡＩ」。ＡＩの能力を超えるタスクをこなすために熟練した人間の専門家をネットワーク化し、タスクのために専門家がＡＩをサポートする。協力した専門家に報酬を支払うというサービスを念頭に置いている。例えばセールスでは、ＡＩエージェントが立てた販売戦略を人間が実行する、デザインでは人間が意見することでＡＩがより製品をうまくデザインできるようになる――。まだ開発段階ではあるが、プロジェクトチームが描く未来は人間とＡＩの立場が逆転しているように見える。

AIモデルは「ただ乗り」と主張する米紙

対ＡＩという文脈では、人間の権利やその対価を守る動きも活発になってきた。その最たる例が相次ぐ著作権訴訟だ（次ページの表を参照）。第１章で説明したように、生成ＡＩのモデルは膨大なデータでトレーニングされている。公開されているインターネットの情報などを基に学習するのが一般的だが、その中に著作権法で保護されているコンテンツが含まれる可能性がある。自分が描いたイラストや文章に酷似したコンテンツが生成されることは、人間の職能を失うことにつながりかねない。

２０２２～23年初頭には、画像生成ＡＩの台頭もあって写真家やアーティスト、写真ストックサービスなどが原告となって画像生成ＡＩを手掛ける英スタビリティーＡＩ（Ｓｔａｂｉｌｉｔｙ ＡＩ）などを訴える動きが目立った。一方で２０２３年以降はＣｈａｔＧＰＴなどテキストを扱う生成ＡＩに対する訴訟が相次いでいる。その象徴的な事例が、米紙ニューヨーク・タイムズによる米オープンＡＩ（ＯｐｅｎＡＩ）と米マイクロソフト（Ｍｉｃｒｏｓｏｆｔ）に対する訴訟だ。約2000の北米メディアが加入する団体がニューヨーク・タイムズを支持する一方、オープンAIが公式ウェブサイトで反論しており、全面対決の様相を呈している。

ニューヨーク・タイムズによる提訴は2023年12月。同社は、2社がAIの学習にニューヨーク・タイムズの記事を許可なく使用し、それが著作権を侵害していると主張した。第1章で見た通り、生成AIのコア技術である大規模言語モデル（LLM）などのAIモデルは、大量の学習データを使ってその精度などを向上する。この学習データに同社の記事が無断で利用されていることを問題視したわけだ。

2023年夏に同社は利用規約を変更し、コンテンツを許可なくAIの学習に使用することを禁止。生成AIに対して厳しい姿勢を見せていた。その後、オープンAIやマイクロソフトと交渉し、「記事利用に対する公正な対価を要求」したが合意に至らなかったという。

訴状でニューヨーク・タイムズが主張したのは大きく2点ある。1つは同社の記事を無断で利用されたことによる弊害だ。訴状では、許可なく数百万本の記事が学習に利用されており、対価を払わずにコンテンツを利用する行為は「ただ乗り」に当たると主張。生成AIが同社の記事の要約を提供することから、ユーザーは購読料を支払わずにコンテンツを読むことができる点を問題視した。訴状はマイクロソフトの検索エンジン「ビング（Ｂｉｎｇ）」に対してもニューヨーク・タイムズのウェブサイトから引用した結果を掲載していると主張

提訴時期	原告	被告	提訴の内容
2023年1月	アーティスト・写真家など3人（同年11月から計10人）	米Midjourney、英Stability AIなど	被告企業の画像生成AIが著作権で保護されているコンテンツを同意なしに学習に使用した
2023年1月・2月	米Getty Images	英Stability AI	ストックサービスである原告が保有するコンテンツの知的財産権を被告が侵害した
2023年6月	集団訴訟	米OpenAI	被告であるOpenAIが生成AIを学習するために用いたデータセットが無数の人々の著作権とプライバシーを侵害しているとした集団訴訟
2023年6月	小説家2人	米OpenAI	原告の小説家2人による著作権が保護されている小説が、OpenAIによって許可なく学習に用いられた
2023年7月	コメディアンなど3人	米OpenAI、米Meta	インターネット上にある海賊版の書籍をデータセットとして使用してOpenAIとMetaが生成AIの学習を行った
2023年9月	作家など5人	米OpenAI、米Meta	OpenAIとMicrosoftが自分たちの作品を無断で生成AIの学習に利用した
2023年9月	全米作家協会など	米OpenAI	インターネット上の海賊版を生成AIの学習に利用した
2023年10月	作家など5人	米Meta、米Microsoft、米Bloombergなど	大規模言語モデル「Llama 2」を開発したMetaなど4つのAI開発企業・団体が、海賊版を含むデータを通じて作品を無断で学習に利用した
2023年10月	米Universal Musicなど3社	米Anthropic	音楽出版社3社が自身が著作権を持つ楽曲を無断でAIの学習に利用したとしてAnthropicを提訴
2023年12月	米New York Times	米OpenAI、米Microsoft	自社が作成した記事がAIの学習に無断で利用されており、生成AIが記事の要約を生成することで消費者が無料でコンテンツを読むことができてしまう

生成AIに関連した主な著作権訴訟の一覧
（出所：訴訟などを基に筆者が作成）

している。

また、オープンＡＩに対しては、不正に取得したデータによってＡＩモデルの精度を上げることで企業価値を高めており、「著作権侵害をベースとした事業モデルだ」と批判。無断で集めた学習データと、そのデータを使って学習したＡＩモデルの破棄を求めている。同社は提訴に合わせた声明の中で、「報道機関が高いコストをかけて取材や編集を行い、徹底して事実確認している情報に依存している」と非難し、無断使用による損害が数十億ドル（数千億円）に上るとした。

２つめは生成される文章がニューヨーク・タイムズの評価を下げかねないこと。ＡＩは同紙の記事を繰り返し要約しており、中にはスタイルを模倣している例もあると指摘。訴状の中で、同社はオープンＡＩのＡＩモデル「ＧＰＴ‐４」が実際に生成した文章が過去の記事と全く同じ、あるいは酷似している例を列挙した。さらに存在しない記事に対して「ニューヨーク・タイムズによると」と誤って紹介するケースもあり、こうしたハルシネーション（幻覚）が同社の信頼性を下げる危険性があるとした。

オープンＡＩは提訴から約２週間後にこれらの主張に対する反論を公表した。ニューヨーク・タイムズが指摘した同社のコンテンツを生成するのは「まれに発生するバグ（不具合）」だとし、同様の出力を防止するための措置を講じていると説明した。記事の複製に対しては

「(ニューヨーク・タイムズ側が) 意図的にプロンプト (指示) を操作し、長い抜粋をその指示に含めることでモデルに (記事の) 再利用をさせているようだ」と指摘。ニューヨーク・タイムズが都合のよい出力だけを主張しているとした。

争点は「フェアユース」か否か

最大の争点は、記事などのコンテンツをＡＩの学習に利用することが、使用許諾を得ずに合法で使用できる「フェアユース」に当たるかどうかにある。米国の著作権法で明文化されている概念だ。著作物を利用するには著作権者から許諾を得るのが前提だが、批評や報道、教育などの目的でコピーを作成したり、研究や調査目的でそのコンテンツを利用したりする場合には許諾がなくても著作権の侵害には当たらないと定めている。日本の著作権法ではフェアユース規定はなく、教育機関における複製といった利用用途によって利用を認める「制限規定」を定めている。

フェアユースかどうかは最終的には裁判所の判断となるが、広く４つの判断基準が示されている。１つめは使用目的で、商業利用であれば認められにくい。２つめはコンテンツの性質で、事実を基としたコンテンツのほうが必要性が高く認められやすい。３つめは利用されるコンテンツの量で、4つめは潜在的な市場への影響だ。ともに著作権者が不利益をこうむる場合には認められにくいとされる。総じて、公共性が高く著作権者が不利にならない条件でのみフェアユースが認められることになる。

オープンAIはニューヨーク・タイムズへの反論でAIの学習がフェアユースに当たると主張した。「一般に利用可能なインターネット上の資料を使用してAIモデルをトレーニングすることは、長年にわたって広く受け入れられてきたフェアユースである」「その原則は有識者など幅広い人々に支持されている」とした。一方で、学習に利用されないようにサイトへのアクセスを防ぐ方法をメディアに対して提供しているとも説明した。

AIによる政治的問題を専門とする米センター・フォー・データ・イノベーションのアスウィン・プラバーカーアナリストは「インターネット上で公開されているコンテンツを使った学習はフェアユースの原則の下にある。LLMが単にコンテンツを複製しているに過ぎないというニューヨーク・タイムズの主張は、AIモデルの複雑なメカニズムを単純化し過ぎている」と分析する。一方で、AIは評価の高いジャーナリズムが提供するニュアンスや分析の深さを完全に再現できず、「ニューヨーク・タイムズの信頼性と権威ある報道は、現状ではAIが挑戦できないものだ」とし、同紙の提訴は過度な反応だとする認識を示した。

2024年4月には米タブロイド紙「デイリー・ニューズ」など米8紙もオープンAIと

マイクロソフトを著作権侵害で提訴。対応を求める動きが広がりつつある。一方で、ドイツのメディア大手、アクセル・シュプリンガーや英フィナンシャル・タイムズ（FT）はオープンAIとの提携を発表しており、メディア業界の対応は割れている。

これらの訴訟でフェアユースが認められたとしても、「適正な対価」という問題は残る。オープンAIもメディアとの共存の道を模索する。別のAIモデル開発企業の幹部は「訴訟でオープンAIが勝ったとしても得られるものは少ない。コンテンツを学習に利用できる状態を持続可能にするために、双方にとっての利益を探る必要がある」と話す。例えば音楽業界でも、違法配信などを巡って著作権者とテクノロジー提供企業が争った過去がある。今でも賛否両論はあるが、スウェーデンのスポティファイ（Spotify）が切り開いた音楽のストリーミングサービスは、権利と利益を一定程度は両立させたという点で既存産業にとってもメリットがあった。AIについてもこうした道を模索すべきだろう。

世論操作・ハッキング・AI兵器

AIの悪用も現実になっている。例えば、日本が既に中国による「AI世論操作の対象」

になっていることを知らない読者も多いのではないか。

2021年4月に日本政府が東日本大震災で破壊された福島第一原子力発電所から排出された処理水を太平洋に放出すると決定した後で、こんなことがあった。「米国が『水の覇権』を維持するために意図的に汚染したとするキャンペーンを多言語で展開し、処分が安全だと判断した国際原子力機関の評価に疑念を投げかけようとした」――。これはマイクロソフトの脅威分析センター（MTAC）が2024年4月にまとめたリポートの一部だ。同社は中国がAIを強化し、地政学的な利益を得るための分断を促すテストを進めていると分析した。

中国AIによる世論操作は広範囲に及んでいる。2024年1月の台湾総統選では、中国による世論操作のためのAIコンテンツが急増。候補者だったテリー・ゴウ氏の音声を合成して他の候補者を支持したという偽動画を拡散し、中国に対して強硬な姿勢を取ってきたウィリアム・ライ氏には横領などのフェイスニュースを拡散させた。MTACはこうした世論操作のコンテンツが「現状では世論に与えた影響は低い」とした上で、中国が米国内の分断にも触手を伸ばしており「米大統領選を前に、主要な投票者に関する情報を収集して精度を高めているという可能性がある」と指摘した。

生成AIの登場によって、人物の動画や音声などを人工的に合成する最新のAI処理技術である「ディープフェイク」はより簡単になっている。マイクロソフトの実証実験では、既に存在する技術を使うだけで、たった20ドル（約3000円）で対象とする人物がまるで本当に話しているような動画を作成できるという。発声と唇の動きを合わせてスペイン語や北京語で話せるようにしたディープフェイク動画を簡単に作成できることも実証されている。

米ニューハンプシャー州の予備選に当たってバイデン大統領の声を合成して有権者に音声通話をかけたり、英国のスナク首相のディープフェイク動画が拡散したりした例は記憶に新しい。2024年は米大統領選など複数の国政選挙が予定されており、AIが悪用される危険性が高まっている。生成AIに悪意あるメールの文面を作成させるなど、ハッキングの手法も巧妙になっている。

AIの軍事兵器への応用も現実化した。AIの利用は火薬、核兵器に続く「第3の革命」とも言われる。ウクライナ軍は既にドローンにAIを搭載したとされ、イスラエル軍はガザへの侵攻でAIシステムを搭載したカメラで標的を識別し

中国が作成したとされるフェイク画像。動画共有サイトのYouTubeやSNSなどに投稿された
（出所：米マイクロソフト）

ていると見られる。

雇用を奪うリスクや悪用、軍事利用というＡＩの負の側面にも目を配る必要がある。それでも人類はＡＩの開発を止めることはできないだろう。２０２３年には高度なＡＩの開発を一時停止するよう求める署名活動が米国で広まった。例えば米民間団体であるフューチャー・オブ・ライフ・インスティテュートが「ＧＰＴ-４より強力なＡＩシステムの訓練を少なくとも半年間停止すべきだ」とした書簡には専門家を含む１０００人以上の署名が集まった。しかし、こうした公開書簡はＡＩ開発の一時停止にはつながらなかった。全てのＡＩ開発者がその開発を止めるための物理的な手段など存在しない。既に分野を限定すれば「シンギュラリティー」が到達しているとの意見もある。それでも、得られる恩恵の大きさを考えれば開発を止めるべきではないだろう。

「民主主義、雇用、プライバシー、公正さ。私たちがこの技術の応用をきちんと管理しなければ、（生成ＡＩは）破滅的な社会リスクとなる可能性がある」。人間中心のＡＩという概念を提唱し、それを模索し続けてきたＡＩ研究の第一人者、フェイ・フェイ・リー氏は、２０２４年３月に米カリフォルニア州サンノゼで開かれたイベントに登壇し、こう語った。スタンフォード大学教授で、バイデン政権によるＡＩタスクフォースのメンバーでもある。リスクの可能性を言及した上で、リー氏は次のように語った。聴衆に訴えるように語りかけたその発言に、会場から多くの拍手が起こった。

「機械が人間を代替するかというのは危険な質問です。なぜなら文明が始まって以来、私たちの祖先による仕事は基本的に機械によって行われるか、あるいは機械との共同作業だったから。動くこと、飛ぶこと、コンピューティングだってそうでしょう。つまり私が感じているのは、『仕事』の定義とは何かということです。個別の『作業』が代替されるなら理解できます。何かをつかんだりオムレツを焼いたりすることは機械にもできる。しかし仕事とは、我々の創造性を定義する部分であり、私たちの思いやりを定義する部分であり、私たちの他者との感情的なつながりを定義する部分であり、私たち一人ひとりが社会に対して持つことができるユニークな貢献なのです。それが完全に置き換わることはない。作業をよりうまくこなせるようになっても、仕事を根本的に置き換えることはできない。人間は人間を必要としており、人間と人間の相互作用は計算や力学を超えるのです」

史上最強のチェスプレーヤーであり、スーパーコンピューターに負けたガルリ・カスパロフ氏の物語には続きがある。カスパロフ氏は敗北のあと、チェスに対する新しい考え方を模索する。そしてたどり着いた1つの答えが、「コンピューターとの共同作業」としてのチェスだった。1998年にはチェスソフトを使ってプロ同士が対戦する「アドバンスト・チェス」による対局を開催。2005年には自身も主催者の1人となり、人間でもコンピューターでも好きな相手とチームを組んで対戦する「フリースタイル」形式の世界大会を開催した。

コンピューターだけで出場したチーム、アマチュアとコンピューターの組み合わせのチームなど多種多様なチームが出場した中で、多くの観客や専門家は、「スーパーコンピューターと組んだ世界チャンピオン経験者」の優勝を予想した。強い人間と能力の高いコンピューターの組み合わせが勝つというのは妥当な予測だろう。

しかし、トーナメントを制したのはダークホース。3台のコンピューターを使った2人のアマチュアチェスプレーヤーだった。決勝では世界チャンピオンに2600人のチェスプレーヤーがオンライン上でアドバイスするチームに圧勝した。

なぜアマチュアが勝ったのか。彼ら2人はチェスソフトの使い方を熟知していたほか、ソフトが悪手だと判断しても相手を驚かせるという意味で必要な時はあえてその悪手を指すという戦略を駆使していた。人間とコンピューターのシナジーが生まれたのだ。カスパロフ氏は後にこう振り返っている。「弱い人間とコンピューターと素晴らしいプロセスは、強いコンピューターよりも優れており、さらに強い人間と強いコンピューターと劣ったプロセスよりも優れている」。この驚くべき結果は示唆に富む。強い者同士の組み合わせが勝つのではなく、そのパートナーシップの巧みさが強さなのだと。人間とＡＩの関係でも同じだろう。ＡＩ対人間の二項対立という考え方は時代遅れであり、人間とＡＩがどのようにパートナーシップを組むことができるかを考えるべき時代なのだ。

5つの覇権争いを制する者

本書は生成ＡＩを巡る覇権争いを5つの領域に分け、有力プレーヤーによる勢力図やブーム以降の産業構造の変化、そして日本企業の勝ち筋などを取材に基づくファクトをベースに描いてきた。最後に、その骨子を振り返るとともに私見を交えた遠くない未来を見ていきたい。

第1章では生成ＡＩのコア技術である「ＡＩモデル」について、オープンＡＩとグーグルという先頭を走る2社を中心に、目まぐるしく動く技術開発の最前線を描いた。その要約は次の通りだ。

- **技術開発の大きな競争軸は「規模の競争」であり、近年モデルの巨大化が進んだ。先行す**

るオープンＡＩと危機感を持って猛追するグーグルの構図を、両社の技術開発の経緯を基に解説した

・独自分析により、これまで特許取得に積極的ではなかったとされるオープンＡＩが２０２４年１月以降、立て続けに特許を取得している事実が明らかになった

・オープンＡＩに出資することでＡＩファースト企業に変身したマイクロソフトの意思決定と技術的優位性についてインタビューなどを通して分析した

・米アンソロピック（Anthropic）をはじめとする有力ＡＩモデル開発スタートアップを紹介するとともに、既にその明暗が分かれつつある現状について描いた

・日本企業による「日の丸ＬＬＭ」の有力企業を紹介し、その勝ち筋として言語特化や日本語知識獲得によるメリットを整理した

第２章では、生成ＡＩにおける「重要資源」である半導体を巡る覇権争いについて、一人勝ちが続く米エヌビディア（ＮＶＩＤＩＡ）を解剖するとともに、ＧＰＵ（画像処理半導体）の死角を探った。

・エヌビディアへの密着取材によって、ＡＩブームを先取りできた理由と、ハードウエアだけでないエコシステムの構築方法を明らかにした

・生成AIによる前例のない半導体需要によって2023年春ごろからGPUが枯渇している状況を描いた
・グーグルやマイクロソフト、アマゾン・ドット・コムなどの巨大テック企業がAI半導体の開発に乗り出した理由を説明した
・AI半導体における「もう1人の勝者」として米スーパー・マイクロ・コンピューター（Super Micro Computer）の実力を分析。サーバーメーカーの商機について解説した
・GPUの死角を3つのテーマで解説するとともに、ラピダスをはじめとする日本の半導体関連企業の進むべき道を模索した

第3章では生成AIアプリケーションを開発する「プラットフォーム」の勢力図を取材し、それぞれの特徴を整理した。主に描いたのは以下の3点だった。

・オープンAIとの提携を武器にプラットフォームにおいてもマイクロソフトが顧客を獲得しており、既に生成AIの収益化が始まっている
・クラウド世界最大手の米アマゾン・ウェブ・サービス（Amazon Web Services、AWS）や世界3位のグーグルも矢継ぎ早に機能を拡張しており、サービス面ではその差がほぼなくなってきている

・GPUを武器にエヌビディアもクラウドサービスに参入。ただしクラウド大手3社は同社の大口顧客であり、直接的な競合とならないような配慮が続いている

第4章では国家間競争をテーマに、独自の特許分析によって各国の実力を明らかにしたほか、AI規制や貿易政策などによる「生成AIの地政学」を解説した。

・特許出願数では中国が圧倒している。デジタル領域で〝鎖国〟を選んだ中国は生成AIでも独自のエコシステムを築いており、米国などと同様にAIモデル開発企業やプラットフォーマーが登場している
・米国による半導体輸出規制による中国への影響は大きく、GPUをはじめとするAI半導体が入手困難な状況が続いている。米国は同盟国との協力関係によって完成品だけでなくサプライチェーン分断を狙っており、一部の抜け道は存在するものの効果的に機能している
・規制面で事実上の標準を狙う欧州連合（EU）は「AI法」の法案を可決。生成AIの登場で規制の概念や手法にも大きな変化が見られ、中国やEUは厳格な規制、米国や日本は行動規範など柔軟な規範を設けている

第5章では「人間と機械の競争」をテーマに、AIの負の側面を描いた。

・「AI失業」は既に始まっており、2023年には米国内で4000人の雇用が失われた。ただし現状ではAIによる人間の代替ではなく、AIを利用したサービス開発などAI人材への置き換えが進んでいる

・中国などはAIを使った世論操作を開始しているとみられ、選挙イヤーである2024年はディープフェイクなどAIの悪用も本格化するとみられる。ウクライナやイスラエルによる「AI兵器」の採用も進んでいる

・雇用を奪うリスクや悪用、軍事利用というAIの負の側面にも目を配る必要がある一方で、「人間対AI」ではなくどうパートナーシップを構築するかという考え方の転換が必要となる

生成AI 真の勝者

生成AIという革新的なテクノロジーは緒に就いたばかりであり、産業構造への影響は計り知れない。一方、各章で見た通り、それぞれの産業レイヤーにおける勝者は見えつつある。大規模言語モデル中心としたAIモデルは、巨大資本による一部の汎用モデルの寡占化が進

む一方で、言語別や用途別といった専用モデルが多数生まれることになりそうだ。巨大化と適材適所がそれぞれ進む未来が予想される。汎用・専用ともに世界中の開発者コミュニティーに支えられたオープンソースモデルが一定の存在感を示すのは間違いないだろう。

半導体はGPU一強が今後数年は続くと見られるが、生成AIのフェーズが学習から推論へと移行する中で、推論特化型のAI半導体がGPUの牙城の一部を崩す可能性が高い。現在はデータセンターへの供給が主流だが、PCやスマートフォン、さらにはAIウエアラブルデバイスなど端末側でLLMを動かす時代になれば、デバイスに最適化されたチッ

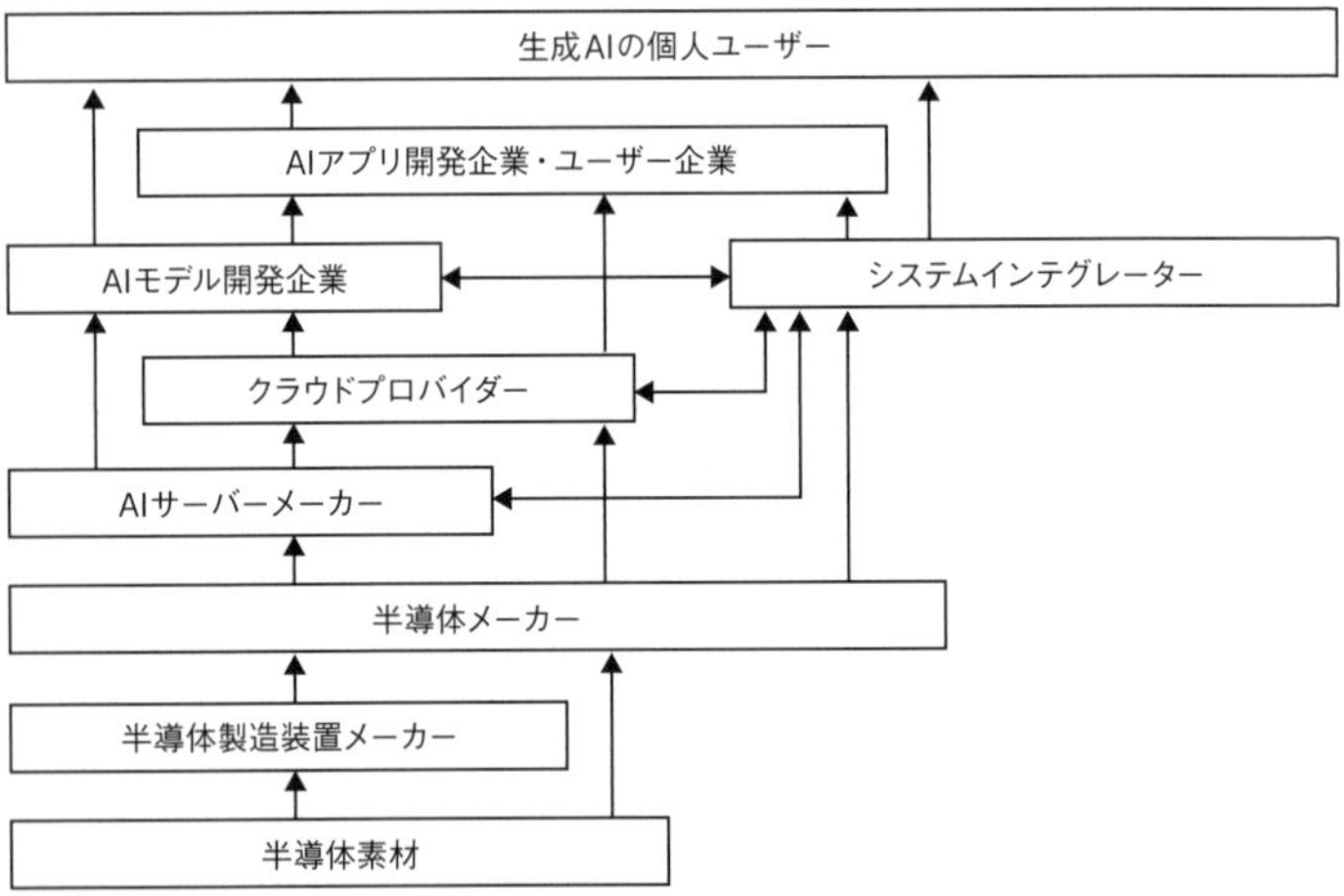

生成AIサプライチェーンの概要。現在は利益が半導体に集まっている
（出所：楽天証券の資料を基に筆者が作成）

プの開発が進むのは必至だ。

ＡＩ開発プラットフォームの主流はクラウドで、大手３強の優位は崩れそうにない。ただしモデル評価やルーティングといった個別のサービスではスタートアップが台頭する可能性がありそうだ。地政学を見通すのは難しいが、まずは中国が自前でどれだけ高性能なＡＩ半導体を設計・製造できるかが焦点となる。もし米国に匹敵する量を製造できるならば、ハイテク製品に関する輸出規制を主とする各国・地域の経済安全保障政策は再考を迫られるだろう。ＡＩの負の側面にも一定のルールを設ける議論が始まるのは間違いない。

日本の勝ち筋はどこにあるのか。日本のＡＩ研究の第一人者である東京大学大学院工学系研究科の松尾豊教授は次のように喝破する。「デジタル領域で日本は負けている。例えば将棋で負けている状態では、『勝ち筋』なんかない。その場その場で『最善手』を指し続け、相手が悪手を指して形成が変わりそうなタイミングで一気に攻め込む必要がある。幸い、日本はＡＩに関しては２０２３年からＧＰＵに投資するなど最善手を差し続けている」。

サプライチェーンに目を向ければ、「現在は半導体に恩恵が集中している状況だ」と楽天証券経済研究所の今中能夫チーフアナリストは見る。現在は事業会社が生成ＡＩでの生産性向上やサービスを模索する→クラウドなどのプラットフォームを通じて生成ＡＩのモデルを利用する→プラットフォーマーはＡＩ半導体を自社のデータセンターに配置してＡＩモデルを動かす→GPUをはじめとするAI半導体の増産が必要になる、という図式だ。

米投資会社アルティメーター・キャピタル（Altimeter Capital）でテック企業への投資を担当するアポールブ・アグラワル氏は自身のブログ記事で、生成AIの産業構造を「半導体」「インフラ」「アプリ」の3層に分け、生成AIによる売上高の83％、利益の88％が半導体に集中していると試算した。一方で、既に20年の歴史があるクラウドの産業構造は逆で、アプリ層が売上高・利益ともに圧倒的に大きい。アグラワル氏は「AWSがクラウドを始めたのは2004年だが、最初の顧客を獲得したのは2010～12年だった」とし、クラウドも黎明期は半導体だけに恩恵が集まっていたと指摘。生成AIも10年スパンで見ればアプリ層が巨大化すると見立てる。

鍵を握るのは生成AIによるキラーアプリ、キラーコンテンツだろう。産業構造論を持ち出すまでもなく、ユーザーに近いサービス事業者に一定程度の利益が生まれなければ、その産業は成立しない。アマゾン ウェブ サービス ジャパンの巨勢泰宏執行役員技術統括本部長は「エンドユーザーの利益を考えてビジネスをするのが重要。1カ所、1社だけがもうかる状況は絶対にうまくいかない」と語る。

AIデータ分析基盤を手掛ける米データブリックス（Databricks）のアリ・ゴディシCEOは「1980年代にインターネットという概念が広がった時、グーグルもフェイスブックもEC（電子商取引）もなかった。誰も予想できなかった」と話す。アプリケーションが生まれるには時間がかかるとの意見だ。米ガートナー（Gartner）が提唱したハイプ・サイクルでは、「過度な期待」のピークを過ぎ、実装で成果が出なければ関心は薄れ「幻滅期」に突入する。AIは幾度となくこのサイクルを繰り返している。

ゴールドラッシュの例えで言えば、道具は既にそろいつつあり、生成AIではそれぞれの分野での勝者と敗者が生まれつつある。当時は金を掘らず、シャベルやツルハシといった採掘用の道具を売った会社に利益が集中し、金脈を見つけて一獲千金を手にしたのは一握りの人たちだった。その理由は、金の量が有限だったからだ。生成AIで「金」に相当するのがAIによるサービスやアプリだろう。そこには無限の可能性があると信じたい。

マサチューセッツ工科大学の石井裕教授は、生成AIなどの新しいテクノロジーによってパラダイムシフトが一変する「不連続な変革」に対して、「自らのレゾンデートル（存在意義）を考え抜くこと」が何より大切だと説く。これまでの勝ちパターンや枠組みにとらわれず自分の企業が存在する意義を見つめ直してこそ、その変化に対応できるのだ。金がなければ真の勝者など存在しない。手繰り寄せた道具を使って金脈を見つけた者こそが、生成AIゴールドラッシュの勝者となるはずだ。

Interview

「独創を続ける力」が人間の価値 存在意義を問い続けよ

マサチューセッツ工科大学教授・メディアラボ副所長　**石井 裕**氏

「ランチを食べようと思っていたら、皿の上からそこにあるはずの料理がなくなっていた」――。米マサチューセッツ工科大学（MIT）メディアラボで副所長を務め、テクノロジーの最前線にいる石井裕教授は、インターネットやモバイル、クラウドコンピューティングなどの技術によって起こったパラダイムシフトをこう表現する。生成AI（人工知能）の登場もまた、我々にパラダイムシフトを迫る。「不連続」的な変化が起こる現代において、企業や個人はどう向き合うべきなのか。生成AIにはできない「独創し続けること」が最も大切だと説く。

――石井教授はかねて、現代を「不連続変革時代」と位置付けていらっしゃいます。不連続な変革とは具体的にどのような現象でしょうか。

きっかけは、スイスの民間シンクタンクであるローマクラブ（Club of Rome）の報告書「成長の限界」でしょう。MITで教授を務めたジェイ・フォレスターらが開発した「システムダイナミクス」による非線形のシミュレーション技法を使って、1972年に「将来的に、地球上の成長は限界に達する」と報告した。この世界に突然、思いがけない形で大きな変動がやってくることを描いたわけです。

人々は線形な予測をしがちです。今日と明日は連続的につながっていて、天変地異は起きないだろう、と。今日と昨日という連続的な差分でモノを考えてしまう。しかし、現実世界はそう

石井 裕氏
米マサチューセッツ工科大学（MIT）教授、メディアラボ副所長。NTTヒューマンインタフェース研究所を経て、95年にMITメディアラボへ。手で直接操作できる物理的なモノを使い、直感的にデジタル情報を操作する「タンジブル・インターフェース」を研究している。2001年にMITよりテニュア（終身在職権）を授与。06年にCHIアカデミーを受賞、19年には、SIGCHI Lifetime Research Award（生涯研究賞）を受賞、22年にはACMフェローに選出される

ではない。かなり危ういバランスで成り立っていて、思いも寄らない突然の変動があちこちで起きている。

英語では「last straw」という表現があります。直訳は「最後の藁《わら》」ですが、「ついに耐えきれなくなる限界」という意味を持ちます。藁を載せていくと、いつかは限界が来て崩れる。最後の1本でガラッとバランスが変わるわけです。そういう非線形性を予測するのは非常に難しい。

私もあなたも眼鏡をしていますが、我々には未来を見るための〝眼鏡〟が必要でしょう。コンピューティングで世界をモデリングし、シミュレートする。今、「データ」が流行していますが、世界を理解するにはデータだけでは不十分で、因果関係を理解してモデル化する必要がある。

データを基に世界をモデル化して、現象を理解する――。言葉で言うのは簡単ですが、これが極めて難しい。因果の連鎖があまりに複雑過ぎるし、政治的な問題もはらんでいる。地球温暖化の予測が難しいのもこうした理由によるところが大きいでしょう。

では予測が難しい時にどうすればいいのか。私は「世界が連続的に変化するという仮定が間違っている」という前提の上で、議論することだと思うんです。多様な方策を採った時に、それぞれの未来はどうなるのか。そのシナリオについてシミュレーションを取り入れて徹底的に議論し尽くす。これが私の提案です。

メディアが今起こっていることを記事として伝えるのは価値があることです。ただそれだけでは足りない。「この方向に進むとどんなことが因果連鎖の果てに起こり得るのか」「私たちの社会、そして地球環境はどう進化すべきなのか」を科学的に考えなければなりません。

勝った将軍が次の戦いを指揮すると悲惨

——不連続な変革はテクノロジーによっても起こり得ます。

おっしゃる通りですね。ただ新しいテクノロジーによって何が起こるのかを予測することも難しいわけです。ＡＩもそうでしょう。当然、悪用する人間も出てくる。ＡＩによる株価の予測が連鎖して破壊的な影響を受ける可能性もある。

新しいテクノロジーによってパラダイムシフトが起こる例は少なくありません。例えば少し前には、インターネット技術を駆使して「オウン（個人による所有）」から「シェア（社会での共有）」というパラダイムシフトが起こりました。米ウーバーテクノロジーズ（Uber Technologies）や米エアビーアンドビー（Airbnb）などがキープレーヤーでした。

以前のパラダイムでは、自動車を所有して週末に自家用車で遊びに行く。これが当たり前でした。でもウーバーや他のカーシェアサービスによって、自動車はオンデマンドで借りるというのが一般的になった。駐車場の在り方も変わったし、移動に関する人々の意識さえ変えてしまった。パラダイムが一変したわけです。

通信もそうでしょう。私はNTTで勤務した経験がありますが、昔から通信業界では「最高の通話品質を保証する」というのが絶対的なドグマ（教義・教条）でした。そのために中央集中制御の通信アーキテクチャーを構築しました。

インターネットの発想は全く違います。いわゆるベストエフォートで、「頑張るから許して」という発想ですよね。インターネットは「永遠のベータ版」とも言える思想でつくられています。実際にネットの世界では、品質保証がないサービスや契約が主流となっている。古くからの通信業界にとって、ベストエフォートなんてあり得なかったわけです。「品質を保証する分、顧客から料金をもらう」。これが当たり前だったわけですから。

戦時の「大艦巨砲主義」も同じでしょう。日露戦争で日本の連合艦隊がロシアのバルチック艦隊を破った。この勝利の経験が、後に巨大戦艦に国運を賭けるという判断につながってしまった。私は大学のレクチャーでよくこんな話をするんです。「歴史では、昔の戦いで勝った将軍が次の戦いを指揮すると悲惨なことになる」と。なぜかというと、パラダイムの変化を理解できない、理解したくないから。

米アップル（Ａｐｐｌｅ）のｉＰｈｏｎｅが登場した時も、通信業界では「こんなもの売れるわけがない」と思っていた人がたくさんいた。

つまり、知らない間にパラダイムは変わっているわけです。ランチを食べようと思ったら、皿の上から料理がなくなっている。目を離している間に、方法論も価値観も変わるわけです。スマートフォンがどれだけ世界を変えたか。クラウドコンピューティングがデータの在り方をどれだけ変えたか。パラダイムシフトのインパクトとはそういうことです。

ＡＩでも量子コンピューターでも、パラダイムは変わるでしょう。どう変わるのか、何を破壊するのか――。このことを考えることが何よりも大事になる。

――過去の戦術に固執すると敗北が必至という状況で、企業はどう向き合うべきでしょうか。

自らのレゾンデートル（存在意義）を考え抜くことでしょう。例えば米グーグル（Ｇｏｏｇｌｅ）は「世界中の情報を整理し、普遍的にアクセス可能で有用なものにする」というミッションを掲げている。これが彼らの端的な存在意義なわけです。

検索エンジンはこのミッションに直結する分かりやすい技術でしょうが、それは「手段」なんですよね。ＣｈａｔＧＰＴなどの対話型ＡＩが出てきても、その目指す先は変わらない。それがミッションでありビジョンなんです。そこがぶれないから、すぐにキャッチアップできる。先ほどの例で言えば、通信関連の企業にとって「よりよいコミュニケーションを提供する」というのは普遍的なミッションになり得るでしょう。それに対して、「電話」というのは手段に過ぎない。インターネットだってそうでしょう。ＩＳＤＮにこだわる必要も、ＡＤＳＬに固執する理由もない。

もっと言えば、品質だって必要条件の１つでしかない。快適にコミュニケーションするための１つの要素でしかないでしょう。たとえ解像度が低いテキスト通信であっても、時間や行間を相手に想像してもらうことで、深く伝わる場合もある。日本の俳句や短歌がその素晴らしい例です。

製造業でも同じです。薄い鉄板を高い精度で実現する技術を持っていたとしましょう。でも、それは例えば「快適に過ごせる自動車をつくる」という目的にとっては１つの必要条件でしかないわけです。十分条件にはなり得ない。

次にどんな破壊的なパラダイムシフトが起こるかは分からない。黒船が来た時に「どう乗り遅れないようにするか」という〝プランＢ〟ではなく、「自らのレゾンデートルに基づいて新しい地殻変動を自らの手で起こし、リードする」という〝プランＡ〟を目指すべきでしょう。

ＬＬＭに新しいビジョンは生み出せない

私はＭＩＴで、そういう問題意識を持って30年近く研究を続けています。直接、デジタル情報に触って操作できる「タンジブル・ユーザーインターフェース」は次の時代のパラダイムになり得ると考えています。我々は不連続な変化を自らの手でつくり出そうとしています。

――生成ＡＩが登場し、文字通りＡＩがテキストや画像などを生成する時代になろうとしています。人間に求められる役割は変わりますか。

私は昔から人間にとって最も大事なのは「独創」であると言い続けてきました。それは変わりません。大規模言語モデル（ＬＬＭ）もデータドリブンで、データを参照しているわけです。つまり膨大な過去のデータから学んでいるのであって、全く新しいコンセプトやビジョンは生み出せない。先例となるデータが皆無だからです。これは大事な視点です。

良い仲間や尊敬できる人物との関係を大切にして「協創」することも大切でしょう。最後に、負けたくないという気持ちで他者と切磋琢磨《せっさたくま》する「競創」の観点も必要です。

エンジンとなるのは「独創」です。かつ、これから大事になるのは「独創し続ける」ということ。人間が発明したものも、パブリッシュされてデータがたまればＡＩがそれを後から追いかけて学んでいく。ＡＩという、データを食べて血肉化する怪物が後ろから追いかけてくるので、我々は独創し続けるしかない。独創、協創、競創によって、先を走り続ける必要があります。

絶対に追いつかれないという自信を、私は持っています。パラダイムが変わっても、走り続ける。これが今、求められていることだと思うのです。最後に大好きな高村光太郎の詩集『道程』から詩の一節をご紹介したいと思います。

「僕の前に道はない　僕の後ろに道は出来る」

おわりに　反転する価値

「とんでもない時にシリコンバレーに赴任したかもしれませんね」。２０２２年秋、同僚記者にこう言われたことを覚えています。今考えると意外かもしれませんが、それは生成ＡＩ（人工知能）の勃興を指す言葉ではありませんでした。同年10月にシリコンバレー支局に異動したばかりの私にとって、当時の主な取材は景気減速がテーマだったのです。

〝ドル箱〟と言われた米巨大テック企業のクラウド事業でさえ景気の逆風を受けて成長が減速し、人員削減の嵐が吹き荒れました。いわゆる「ＧＡＦＡＭ」だけでも２０２２年末からわずか数カ月間で5万人規模のレイオフを実施。新型コロナウイルスによる特需で膨れ上がった人員を一気に整理する動きが相次ぎました。事業急拡大のゆがみが顕在化し、投資は冷え込もうとしていました。リモートワークの浸透で既にテック業界では脱シリコンバレーが進んでおり、確かに何かが崩れていく予感がありました。

「２０２３年はリセッション（景気後退）の年になる。テック業界でもチャプターイレブン（米連邦破産法11条、日本の民事再生法に相当）が相次ぐ可能性があるので注視したい」。編集長との打ち合わせで当時の私はこう伝えました。たった1年半前の出来事です。

しかしその裏で、もっと大きな地殻変動が起こっていました。ご存じの通り米オープンＡＩが２０２２年11月にＣｈａｔＧＰＴを世に出し、２０２３年頭から世界的な生成ＡＩブームが勃興します。恥ずかしながら私が初めて生成ＡＩに関する記事を書いたのはブームが始まった後の２０２３年1月26日。日経ビジネス電子版で「嘘をつくＡＩは使えるのか」と題した記事を配信しました。公開から1週間で利用者が１００万人を突破し、爆発的なスピードで広がるサービスに、当時の私には疑念が拭えなかったのです。

２０２３年3月にシリコンバレーバンクが破綻したものの、リセッションは今に至るまで結局起こらず、ビッグテックは急速なＡＩシフトを進めて既に収益化に至っています。私の取材対象のほぼ全てが生成ＡＩとそれを支えるクラウド、半導体一色となりました。このダイナミズムこそ、テックの聖地と呼ばれるシリコンバレーの特性の１つでしょう。同僚が当時言った「とんでもない時に赴任した」という言葉は結果として正しかったわけです。

本書は筆者がシリコンバレーで取材した内容をベースとしています。とは言えこれまでに日経クロステックや日経ビジネスに書いた記事の大半は、内容をそのまま盛り込むことができませんでした。「1週間ごとに革新が起きている」と言われるほどイノベーションのスピードは速く、多くの記事が既に陳腐化していたからです。そのため、多くの取材対象に再び時間を頂いて取材させてもらうことが必要になりました。お時間を頂戴した全ての皆様に感謝します。革新が続くテクノロジーの最前線を解説すると同時に、すぐには古くならない本質を描いたつもりです。

さて、「生成する」主体としてにわかに姿を現し始めたＡＩに対し、我々はどう対峙すべきでしょうか。従来のＡＩに比べ「より人間らしい領域」を生成ＡＩが侵犯する中で、「価値の反転」が起こるはずです。従来は不可侵とされ、断片的な情報をつなぎ合わせて何かを創造しようとする行為こそＡＩが得意とし、淘汰や代替はむしろ知的労働で進むという従来とは逆の予測もあります。ＡＩがＯＳ（基本ソフト）やアプリケーションを横断するオーケストラの指揮者のような存在として立ち現れることになれば、既存のプラットフォームの価値は減退し、その新しいレイヤーこそ価値を生むという未来もありうるでしょう。私たちにできるのは、こうした反転に対しても揺るがない価値を探し続けること。コンピューターに負けたチェスプレーヤー、ガルリ・カスパロフ氏が模索したように、人間とコンピューターの協調こそ探索のヒントになるはずです。

この激動期にジャーナリストとしてシリコンバレーで取材できる境遇に感謝しながら、今後も読者の皆様に少しでも気付きを与えられる記事を紡いでいきたいと思います。

島津翔

島津 翔
日経BP シリコンバレー支局 記者

大学院にて建築家・内藤廣に師事した後、2008年に日経BP入社。日経アーキテクチュア記者、日経ビジネス記者、日経クロステック副編集長などを経て、2022年10月から現職。AIやクラウド、半導体などを担当し、シリコンバレーで生成AIの最先端を取材する。共著に『ChatGPTエフェクト』『アフターコロナ』（いずれも日経BP）、単著に『さよならオフィス』（日本経済新聞出版）などがある。

生成AI 真の勝者
5つの覇権争いの行方

2024年6月3日　第1版第1刷発行
2024年7月8日　第1版第3刷発行

著者　島津 翔
発行者　浅野 祐一
発行　株式会社日経BP
発売　株式会社日経BPマーケティング
〒105-8308　東京都港区虎ノ門4-3-12
ブックデザイン　小口 翔平＋畑中 茜（tobufune）
制作　株式会社日経BPコンサルティング
印刷・製本　TOPPANクロレ株式会社

ISBN978-4-296-20511-0

本書籍に関するお問い合わせ、ご連絡は下記にて承ります。
https://nkbp.jp/booksQA